新潮文庫

風の墓碑銘

上巻

乃南アサ著

新潮社版

8656

目次

風の墓碑銘《エピタフ》
上巻

プロローグ

　そこは入り組んだ路地が縦横に交錯する一帯の、そのちょうど中ほどに位置する、文字通り猫の額くらいの土地だった。スムーズにたどり着きたいと思ったら、スクーターや軽自動車などを利用するのが、もっとも適しているような位置にある。既に目と鼻の先まで近づいていたとしても、たとえば重機を積んだ車両や、廃棄物を運ぶためのトラックなどは、幹線道路を外れて路地に入り込んだ途端、人が歩く速さよりもスピードを落とさなければならなかった。

　界隈《かいわい》には、時として微妙に弧を描き、また、鉤《かぎ》の手に曲がりくねった細い道に沿って、似たようなつくりの家屋や商店がひしめき合っていた。雑多な、下町らしい風景だ。けれど、そうかといって人通りは多くはなく、むしろ辺りはひっそりと静まりかえっていた。そんな路地を進むトラックの運転手は、幾度となくハンドルを切り返し、しつこいくらいにミラーをのぞき込んで、そろり、そろりとアクセルを踏まなければならない。そうしなければ、目的の土地に車両を横づけにすることは難しかった。

家々の軒先に並べられた鉢植えをなぎ倒さないように、玄関脇《げんかんわき》に置かれている手押し車タイプのシルバーカーを巻き込まないように、アルミ製の面格子《めんごうし》を利用して干してある運動靴や軍手などを引っかけないように。そして、時折見かける歩行者の足を、なるべく止めたりしないように。まったく、どうということもない距離なのに、とにかく慎重にならざるを得ない道だった。

そうして、どうにか現場にたどり着く。まずは全体をぐるりと囲むように杭《くい》を打ち、白い防護シートを巡らせるところから、工事は始まった。

土地一杯に建てられている、築五十年は超えていると思われる総二階の木造家屋は、いかにも乾ききった印象の黒ずんだ木肌を剝《む》き出しにしており、下手をすればマッチ一本でも瞬《また》く間に燃え上がってしまいそうに見えた。いや、ここが野中の一軒家なら、そうした方がどれほど簡単に、ことが済むだろうかと思えるほどだった。だが現実は、これだけの住宅密集地だ。だからこそ、隣家との隙間《すきま》に入り込むのさえ容易ではない窮屈さの中で、とにかく養生を施していく。路地の大半をふさぐ格好で停めることになった車両の傍には、ヘルメット姿の交通整理員が立って、時折、行き過ぎる人に

「ご迷惑をおかけします」と頭を下げた。

翌日には、六十平米にも満たない小さな土地と家屋の全体は、白い防護シートに囲まれて、周囲の目から完全に遮断された。すると今度は、作業員たちはおもむろに家に踏み込む。鍵《かぎ》など不要。壊して入るのだ。ここからが本番だった。どれくらいの年月か、見知らぬ他人が生活していた空間に、文字通り土足で入り込み、そして、すべてを奪い去るのである。無論、作業は淡々と行われる。だが、玄関が取り払われ、長い間封じ込められていた空気に触れる瞬間だけは、感じる必要もない、どこか奇妙な気後れを覚える。

まずは洗面台や流し台などの設備器具の取り外しから始めるのが、おきまりの手順だ。水色のホーロー製の浴槽に、巨大な湯沸かし器。比較的新しく見える洋式便器。流し台や洗面台、古ぼけたエアコン、部屋部屋の天井から下がっている照明器具などといったすべてを、無造作に引き剝《は》がし、むしり取って運び出す。既にその段階で、それなりの時間、ひっそりとした静寂の中に沈んでいたはずの空間には、何年分か、または何十年分かも分からない埃《ほこり》がもうもうと立ちこめ、カビ臭い匂《にお》いが辺りに広がる。

次いで、建具類や畳を運び出す。襖《ふすま》の穴を隠すように貼《は》られたポスターや、畳の下に敷いてある古いスポーツ新聞などといった、わずかに残されていた人の気配さえも、その段階で一切が取り払われる。そうして畳も建具もなくなった家は、文字通り剝き出しの、単なる抜け殻でしかなくなる。さらに内装材が取り払われ、外からも屋根瓦《やねがわら》や雨樋《あまどい》、物干し台などが外される。

　大型の車両は入り込めない環境なのだから、防護シートの前に横づけしているトラックの荷台は、運び出された廃棄物で簡単に山盛りになってしまう。作業員たちは、トラックが処理場に行っている間、ガラスや資源ゴミなどを選り分けたり、のんびりと煙草《たばこ》を吸ったりして過ごす。好《い》い加減なところで明日に仕事を回すこともある。

　そして、家はいよいよ本格的に終焉《しゅうえん》を迎える。このときのために、水道だけは止めずにおくのが、解体工事のルールだ。粉塵《ふんじん》の飛散を抑えるために、ホースで散水をしながら、重機を使用して建物そのものを壊していくのである。屋根、梁《はり》、柱と、作業員の操作する重機の爪《つめ》は、的確に目標に食らいつき、破壊していく。土壁の隙間から藁《わら》が顔を覗《のぞ》かせる。割り箸《ばし》のように容易《たやす》くへし折られた柱には、いくつもの画鋲《がびょう》の跡などが残っていたりする。隣近所には、防音に努めますからと挨拶《あいさつ》に回っているはずだが、このときばかりは仕方がない。ガガガ、バリバリ、と破砕音が上がり、時として微《かす》かな地響きが生まれる。

何十年もの間、その土地に建ち続け、風雪に耐えてきたはずの家は、そうしていとも簡単に姿を消していく。トラックの荷台には、またもや廃棄物の山が築かれ、辺りの風景のいかにも大切な要素の一つになっていたはずの物体は、跡形もなく消え失《う》せる。

上ものが壊されてしまえば、あとは家の基礎部分を掘り返し、残存物を取り除き、整地する作業が残っているだけだった。明るい藤色《ふじいろ》の、おもちゃのように可愛《かわい》らしいユンボが運び込まれた。

狭い土地だったが、それでも建物がなくなった分だけ、わずかに風通しが良くなり、空気の流れも変わったのかも知れなかった。路地を吹き抜ける風が、もうじき取り払われる防護シートをはためかせ、気がつけば頭上を桜の花びらが舞い飛んでいた。

「近くに桜の木があるのかな」

ユンボを操っている木本《きもと》という作業員は、空を見上げてつい呟《つぶや》いた。いつの頃からか、重機を操作する技術者はオペレーターなどと呼ばれるようになった。今年で五十四になる木本には、その表現は、実はかなり抵抗がある。それでも、新聞の求人欄などで新しい職を探すときには、やはり「オペレーター」という文字に反応する習性が身についていた。今の会社にもぐり込んで、ようやく一カ月が過ぎようとしている。

無類の酒好き・競艇好きの上に、どうも一つの職場に腰が落ち着かず、ついには家庭まで失ったものの、未《いま》だにホームレスにならずに済んでいるのは、取りあえず、こんなちっぽけなものから三トン以上の本格的なものまで、重機が扱えるからに違いない。

「そうか。ここからだと、隅田川が近いんじゃねえか」

頭上を舞うあの花びらも、もしかすると隅田川沿いから風に乗って、飛んできたものかも知れなかった。そういう季節なのだ。

「早えよなあ、まったく一年っていうのはよう。ついこの間、正月の餅《もち》を食ったと思ったら、もう桜だとよ。まったく早えよ。そうこうするうちに、すぐに夏になっちまうんだ。嫌だよなあ、また暑くなりやがる」

すべては木本の独り言だった。少し離れたところには、見習いの若い作業員が立っているのだが、人の話が聞こえていようがどうしようが、いつでも遠くを眺めるような目をして、ただぼんやりとしている。ヘルメットの下からは真っ黄色の髪を覗かせ、耳にはピアスを光らせて、彼はほとんど自分から口をきいたことがなかった。日本人であることは確かなはずだが、こうも話一つしないとなると、日本人だろうが不法就労の外国人だろうが関係ない。

「帰りに、ちらっと寄るだけでもいいから、見て行くかなあ、隅田川の桜ってヤツを」

ユンボが土を噛《か》む。木造の、しかも古い家の土台など、相当に好い加減なつくりのものが少なくない。それだけに、こうして掘り返していても、硬く乾いた荒れ地を畑にするときなどより、よほど手間がかからなかった。東京の下町には似つかわしくない、驚くほど瑞々《みずみず》しい土の匂いが辺りに広がった。それは頭上を舞う桜の花びらと共に木本の胸に迫り、遠い故郷を思い起こさせた。

「本当は田舎でよう、畑でも耕してる方が、よかったんだよなあ。今さらだけど」

黒々とした土にユンボの爪を当てる。ショベルが土を掘り、そのまま宙にすくい上げる。幾度となく同じ作業を繰り返していた、その時だった。すくい上げた土の中から、ぽろりとこぼれ落ちるものがあった。木本はユンボの操作を止めて、ショベルの先と、掘り返した土との両方を眺めた。

「おおい」

ぼんやりと遠くを見ている見習いを呼ぶ。

「おおい、よう、ちょっと」

何度か呼ぶと、見習いは弛緩《しかん》した表情のまま、のそのそと歩み寄ってきた。

「あれ、何だ。ちょっと見ろや」

木本が顎《あご》で示した方向に、見習いはゆっくりと顔を向け、返事もしないで歩いていった。幼さの残る頼りない背中にかかる、ヘルメットからはみ出た黄色い髪が、何かの模様のように見えた。

「今、何か掘り返したんだよ。それが何か、見ろってことだぞ」

相変わらず、返事は聞こえてこない。ただ、ユンボのショベルが掘った場所に行って、屈《かが》み込んでいるばかりだ。

「何か、あんだろうがよ。見えんだろう？」

それでも見習いは動かなかった。木本は苛立《いらだ》ち、「よう」「よう」と繰り返し見習いを呼んだ。

「聞こえねえのかよ、ようっ。何があるって聞いてんだろうが」

すると見習いは、ようやく身体《からだ》を揺するようにして立ち上がり、相変わらず曖昧《あいまい》な表情のままで、のろのろと戻ってきた。その寝呆《ねぼ》けたような顔を見て、木本は思わず舌打ちをした。説教をする柄ではないが、それにしても、もう少し何とかならないものかと思う。

「何か、ありますけど」

「分かってんだよ、そんなこたあ。だから、何があったって聞いてんだ」

「何か――棒っ切れみたいな、骨みたいなヤツですけど」

「骨だあ？　何の」

見習いは口を尖《とが》らせて首を傾《かし》げるばかりだ。木本は、くわえていた煙草を吐き捨て、ついでに唾《つば》も吐いた。

「しょうがねえなあ。もう」

事故防止のためにユンボのエンジンを切った上で、木本は小さな運転台から地面に下りた。それでもまだ、見習いは曖昧な表情を崩さない。

「見りゃあ、分かんじゃねえかよ、よう？」

あからさまに舌打ちをして、見習いを睨《にら》みつけた上で、木本はショベルに歩み寄った。土の匂いが強くなる。再びどこからか、桜の花びらが飛んできていた。

ショベルの中には、すくい取ったばかりの土が入っている。その黒々とした土の中程から、棒杭のような茶色いものが顔を覗かせていた。何気なく摑《つか》んで、そのまま放り出してしまっても良さそうなものだったが、どういうわけだか伸ばしかけた手が止まった。

薄い茶褐色のそれは、棒きれのようにも見えたが、やはりどこか妙だった。両端が膨らんでいて、先端はコブが出来ているように丸みがある。明らかに、単なる木の棒などとは異なる、他のものを連想させる形状だ。

振り返ると、少し離れたところから、見習いがじっとこちらを見ている。木本は、その見習いの顔と、ショベルの中の杭のようなものを見比べた。頭の中では「まさか」という言葉が渦巻き始めていた。

今度はたった今、掘り返したばかりの地面の方を見てみることにした。その辺りにも、やはり、幾つかの棒杭状のものが散乱していた。太さや長さ、形状はまちまちだが、いずれも、やはりそれが木の枝でも、木片などでもないことを物語っていた。

「――よう」

膝《ひざ》に手をおき、わずかに腰を屈めて地面をのぞき込んだまま、木本は声を出した。柔らかい風が、防護シートをはためかせる。白いシートに囲まれた小さな空間が、突然、世間のすべてから切り離された別世界のように思えてきた。

「よう」

もう一度声を出してから、今度は「なあ」と後ろを振り返った。何の役にも立たないうすのろ野郎だと思っていたが、こうなってみると、この若造だけが頼みの綱だ。

「兄ちゃん、携帯、持ってんだろう？」

見習いは、相変わらずぼんやりした顔のままで、わずかに顎を突き出した。

「だったらな、電話しろ」

「――どこへ」

「警察に決まってんだろうがよ」

「サツ？　俺がっスか」

「ああ。すぐ来て下さいって」

「――何で俺が。第一、俺、番号なんか」

「一一〇番でいいだろうが。それくらい、知ってんだろうっ」

それでも見習いはあやふやな表情のまま、面倒くさそうに首の脇などを掻《か》いている。木本は本気で苛立ち、それなら自分に携帯を寄越せと手を出した。

「だから、何で俺の。自分の使えば、いいじゃないスか。俺のからかけたら、俺のケータイの番号が、サツに知れるってことですよ」

「べつに、構わねえだろうがっ。俺のはさっき、電池が切れたんだよ！」

「――充電すりゃあ、いいんだよ」

「今すぐ電話しなきゃ、ならねえんだ！」

まだどこか幼さが残っているが、改めて向き合うと、いかにも凶悪そうな目つきの見習いは、木本の腹を探るような陰険そうな表情になる。野郎、どんなことをしてきたヤツなのだと、少しばかり薄気味が悪くなった。木本は、改めてショベルが土中からすくった物体を見つめた後で、小さく深呼吸をした。

「ただごとじゃ、ねえんだから」

「――電話して、何て言うんスか」

「人の――」

口にした途端、意味もなく身震いが起きた。これは本当のことなのだろうかと、ふと思う。いや、現実だ。間違いなく。

「骨みてえなもんが、出ましたって」

見習いの表情もわずかに動く。細い目の奥の瞳《ひとみ》が落ち着きなく揺れた。

「まじ、人の骨なんスかね」

「じゃあ、お前には何に見える」

「まあ――骨は骨かも知んねえけど」

「犬とか猫の骨だっていうのか？　それにしちゃあ、でけえと思わないか？　それとも牛とか豚かよ、ええ？　ここはどこだ？　東京の、墨田区だぞ」

言っているうちに、確信が深まっていく。そうだ。いつの時代のものかは知らないが、自分は今、間違いなく掘り当てたのだ。生まれて初めて。人の骨を。

「ええっ。まじでマッポなんか呼ぶのかよぉ」

見習いが渋々ニッカーボッカーのポケットから取り出した携帯電話をひったくり、木本は、やはり生まれて初めて一一〇番という番号をプッシュした。

指先が震えていた。

第一章

1

サツキとツツジの違いが分からない。

この季節になると、いつも心に浮かびながら、結局は毎年、そのまま放り出してきた疑問が、今年もふいに頭をもたげた。大分、陽が傾いてきたせいか、日陰に入った道路脇《どうろわき》の植え込みに、いくつもの小さな花が咲いているのが目にとまったせいだ。他の季節は全体に排気ガスを被《かぶ》って、何となく白茶けて見える植え込みが、この時期だけは明るい紅色や紫に染まる。それを眺めながら、音道貴子《おとみちたかこ》は、つい「これは」と呟《つぶや》いた。並んで歩いていた玉城《たましろ》が「なに」と、太い眉《まゆ》を動かす。貴子は、その沖縄県人特有の濃い顔立ちと、隣の植え込みとを見比べた。

「どっちなのかなと思って」

「何が」

「ツツジか、サツキか」

するとお玉城は、自分もちらりと植え込みに目をやり、当たり前のように「サツキじゃないか」と答える。貴子は目を丸くした。

「分かります？　分かるものですか？　ひと目見て？」

「何となくだよ。多分、ていうだけ。小枝が多めだし、花が一つずつついてるみたいだし」

第一、と言いながら、玉城は小さく深呼吸をするように、空を見上げた。

「もう、この季節だ。旧暦の五月くらいから咲き始めるからサツキっていうんだから。ツツジは、もっと早く咲き始めて、そろそろ終わってるはずだからさ」

それから玉城は、サツキも間違いなくツツジの仲間であることと、その特徴としては、「多分」同じ株に違う色の花が咲く場合があったり、その花も同じ枝先に複数がつくのでなく、一つ一つ咲く「はずである」ことなどを語った。ツツジの場合は何輪かずつの花が、枝先にまとまってつくことの方が多いらしい。

「それが、違い？」

「まあ、詳しい人に言わせれば、もっとちゃんとした説明が出来るんだろうけどね」

へえ、と感心して眺めながら、貴子は、そういえば、この警部補が農学部の出身だったことを思い出した。京都大学の農学部を出て刑事になったという、かなりの変わり種だ。

「そういうこと、大学で教わるんですか？」

「何を」

「だから、ツツジとサツキの違い」

玉城は一瞬、意表をつかれたような表情になり、それから「まさか」と口元をほころばせる。

「だって、農学部だったんでしょう？」

「でも、そういうことは習ってはいないと思ったな、大学では」

「じゃあ、どうして知ってるんですか」

眉は太く、その下の目はぎょろりと大きい。鼻はあぐらをかいていて、唇は大きく厚い方だ。要するに、どちらかといえば猛々《たけだけ》しいくらいの印象を与える顔だちなのに、どこか愛嬌《あいきょう》のある眼差《まなざ》しをこちらに向けて、玉城は「さあ」と首を傾《かし》げた。

「いつの間にか、知ってたんだな」

「それで、その見分け方によれば、さっきのは本当にサツキでした？」

「だと、思うっていうだけ」

「ああ、そこが嫌な感じだな。何か、すっきりしなくて。もっと、こう、目からウロコが落ちるような、そういう違いが知りたいんですよね」

「そんなに気になるんなら、自分で調べろよ。デカなんだから」

そうなのだ。疑問に思ったことは自分の足を使い、自分で汗をかいて、徹底的に追求、解決に導かなければならない。それがデカというものだと教わっている。だが今、ツツジとサッキの違いを知るためにまで、新たな汗などかきたくはなかった。そうでなくとも、今日は馬鹿《ばか》に暑い一日だったのだ。すっかり真夏のようだった。

「まあ、来年の春くらいまでには、調べることにしますか」

玉城は、またちらりとこちらを見て「そうだな」と小さく笑った。

「サツキがツツジでも、ショウブがアヤメでも、さしあたって俺らの仕事に影響は出ないしね」

「ショウブとアヤメ？　そういえば、そっちは、どう違うんですか」

今度は玉城は、正確には「ハナショウブ」の話だがと前置きし、そちらの二つは属している科そのものが違うはずだと答えた。

「どっちかがイモの仲間」

「イモの？　どっちが？」

実は今、咄嗟《とっさ》に思い浮かべた花が、果たしてどちらかも分からなかった。ついでにいえば、カキツバタという花もあったような気がするが、いずれにせよ見分けさえついていない。「どっちかだ」という返答を聞き、貴子は余計に消化不良になりそうな気分になった。

「本当に、嫌。こういう、スッキリしないのって、精神衛生上いちばんよくない気がしますよね」

「でも、まあ、大したもんだよ、音道は。役に立とうが立つまいが、取りあえず年がら年中、色んなことに興味を持って。ガキみたいとも言えるけど」

「ガキって――私がですか？」

「小さい子って、そうじゃないか。何で、何でってさ」

「私は、そんなことないですよ」

「自分で気がつかないだけなんじゃないか？　この前だって、何かネットで調べてたじゃないか。何かの、病気のこと」

ああ、と、さり気なく視線をそらして、貴子は密《ひそ》かにため息を洩《も》らした。好きで疑問を持つばかりとは限らない。ツツジやアヤメ程度ならともかく。つい、嫌なことを考えそうになって、貴子は急いで空を仰ぎ見た。建物の谷間から見上げる空は夕方に向かって、既に太陽のきらめきを失い、ただ全体に白っぽく、あやふやな光に満ちて見えた。

――それが、私には見える。この、日暮れに向かう空の色が。どうっていうこともない、こういう色が。

額の上を、微《かす》かに風が吹き抜けた。それが単に、行き過ぎる車の列が巻き起こした、埃《ほこり》っぽいだけのものだったとしても、滲《にじ》んでいた汗を飛ばしてくれるだけでありがたく感じられる。

それくらいに暑い日だった。まだ六月にもならないというのに、もしかすると三十度を超えたのではないだろうか。こうしてジャケットを着ていること自体、煩《わずら》わしく感じられてならないし、きっとその下のシャツブラウスにも、しっかり汗が染《し》みていることだろう。ついこの間、やっと桜が咲いたと思ったのに、こうも早く夏に来られたのでは、たまったものではない。

「どうします、このまま本当の夏になったら。時間ばっかり過ぎちゃって」

つい、ぼやきが出た。

それこそ、隅田川緑道公園に集まる花見客の警備などの応援を頼まれ、やれ喧嘩《けんか》だ、置き引きだ、酔っぱらいだ、迷子だ、オヤジ狩りだ、ひったくりだと、時には本来の持ち分と違うところにまで駆り出されて、右往左往していた一ヵ月あまり前の日々が、今となっては懐《なつ》かしい。いくら文句を言ったって、毎日、違うことが起こり、それに向かって忙しく動いている方が、ありがたい。変わり映えのしない日々、徒労感ばかり募る毎日ほど、不快で重苦しい気分になるものはなかった。第一、そういう日々を送っていると、どうしたって緊張感を保ちにくい。その挙げ句、余計なことまで考えるようになるのだ。

――考えたくないことや、考えたって仕方のないことや。

そういう状態が、実はもう数週間あまりも続いていた。いくら刑事には忍耐と不撓《ふとう》不屈の精神こそ必要と言われても、こうも手詰まりの状況が続いていては、いかにも面白くなかった。貴子と同様、おそらく隣を歩く相棒も、あえて口にこそ出さずにいるが、「どうして」「よりによって」といった類《たぐい》の言葉を思い浮かべているに違いない。なぜ、こともあろうに自分たちが、こういう役回りになったのか、と。

「まあ、焦《あせ》ったってしょうがないさ。そのうち、何かに行き当たるまで、こうして毎日、歩き続けるしか」

まるで、こちらの気持ちを見透かしているかのように、玉城が呟いた。その横顔にも、汗が光っている。真《ま》っ直《す》ぐに前を向いている相方の眼差しが、今、何を見据えているかは、貴子にも分かる気がした。

解体工事中の住居跡から、白骨死体が発見されたのは、一カ月あまり前の四月上旬、ちょうど桜も終わりに近づいた頃のことだ。場所は墨田区東向島《ひがしむこうじま》。入り組んだ路地が続き、住宅や商店などがひしめき合っている一角だった。

東京東部に位置するこの界隈《かいわい》は、隅田川と荒川に挟まれて、ちょうど三角州のような地形に見える。江戸時代から続く庶民の歴史を持ち、現在も文字通りの下町で、町工場が多く点在し、また数々の伝統工芸が残る、職人の町でもある。

一見すると穏やかで温かみのある風情《ふぜい》を残している下町だが、実際はご多分に漏れず住民の高齢化が進み、また町全体も老朽化が進んでいる。不景気のあおりを受けて廃業に追い込まれた町工場も少なくないし、売りに出されている建物も珍しくはない。それだけに、再開発のために区画整理が進む地域があったり、個別に家を建て替えたりする箇所が多いことは、日々、管内を歩き回っていれば、普通に目に入ってくることだった。

現場となった築五十数年といわれる古い住居は、少なくとも昭和三十年代頃からは、貸家として使われていたものだという。その界隈に多く見られるタイプの、ごく普通の木造総二階建ての家だったというが、貴子たちが現場に到着したときには、既に跡形もなく壊された後だった。建物そのものの傷《いた》みも目立つようになり、最近では容易に借り手もつかなくなったことから、家主が、新しく建て替えることにしたのだそうだ。その解体工事中に、白骨死体が出たのである。

「人の骨らしいものが見つかった」

その連絡を受けたとき、貴子は相方の玉城と共に、花見客同士が起こした暴行傷害事件の取り調べに当たっていた。まだ陽の高いうちに起こった、要は酔っぱらい同士の喧嘩だ。お互いに酔いが醒《さ》めれば、単に小心な一般市民に過ぎない。彼らはいずれも神妙な顔つきになって打ちひしがれていた。ひたすら頭を下げては「穏便に」と繰り返すばかりという、何とも情けない有り様に、呆《あき》れてため息をついていたら、召集がかかった。

「何だい、張り切っちゃって」

現場に向かう車の中で、玉城に言われたとき、貴子は「ばれたか」というように、つい小さく口元を引き締め、笑いをこらえるようにして相方を見たことを覚えている。死体が見たいわけではない。無論、大きなヤマが起きれば良いと願っているつもりもなかった。だが、隅田川東署へ来る前の数年間は機動捜査隊員として、常に管轄《かんかつ》区域を走り回り、凶悪事件の初動捜査に当たってきた貴子にとって、所轄署員としての日々は、それこそが刑事としての基本であり、また必要な部分であると分かっていても、どうしても地味で、メリハリがつきにくく、つい物足りない気分になってしまうものだった。

「嫌ですよ、これでナウマン象の骨でした、なんて言われたら」

「俺なら、そっちの方に興奮するけど」

肉体的には楽だったし、無論、精神的に追いつめられる状況などもほとんどなく、そういう点では、所轄署勤務の方が有り難いに決まっている。それでも貴子には、緊張感を伴わない毎日が、正直なところ、どうにも味気なく感じられて仕方がなかった。ことに、この春先からの日々は、貴子は別の意味でも、仕事に集中したい気分だった。考えたくないこと、考えても仕方のないことがあった。いずれ真剣に向き合わなければならないことは分かっていても、つい、先送りにしたい問題だった。

――要するに、逃げてる。

それは自分でも分かっていた。だが、仕方がない。動揺したくない。誰にも向けようのない怒りを抱きたくないのだ。だから、少しでも時間を稼ぎたかった。

「いや、何ていうか、ただの棒っ切れかなとも思ったんですわ。こう、ユンボで掘り返してたら、ぽろっと。ぽろっとね、こう、何かが転げ落ちたもんでね」

第一発見者で、また通報者でもある解体作業員の男は、興奮した面持ちでまくし立てた。既に、一度は交番勤務の制服警察官に説明したはずのことを、男は、まるで嫌がる素振りも見せずに繰り返した。

「だって、ほら、何しろ見たことなんか、ねえわけですよ、本物なんて。だけど、何ていうか、こう、ピンと来たっていうか、ねえ。で、よく見りゃあ、ほれ、写真とかで見るのと同じなんだよなあ。それが、土の中からにょきにょき、見えてやがったからね」

実にささやかな、文字通り猫の額ほどの土地だったが、解体作業のためにシートを巡らしてあったのは、警察にとっては幸いだった。吹き抜ける風が、そのシートを煽《あお》っていた。ばさ、ばさ、という音を聞きながら、貴子もユンボのショベルが掘り返した地面をのぞいてみることにした。柔らかくなっている地面に、靴の踵《かかと》が沈んだ。

「あれ、か」

玉城が呟《つぶや》いた。掘り起こした土の中から、確かに何かが顔を出している。薄茶色をした木の枝か、廃材の一部のようにも見えた。

「あれだけで、よくすぐに人骨だと思いましたね」

貴子も、玉城と並んで穴をのぞき込んだ。掘ったばかりの柔らかそうな土の間からは、他にも幾つかの、異なる形状の物体が見えていた。その光景は、確かに通報者の言葉通り、「にょきにょき」と言って良いものかも知れなかった。

「匂《にお》いは、しないもんなんだな」

くんくんと鼻を鳴らしながら、玉城が呟いた。貴子も意識的に辺りの空気を嗅《か》いでみた。別段、変わった匂いはない。ただ新鮮な土の匂いが広がっているばかりだ。要するに、腐敗は終了しているということに違いなかった。死体の腐臭なら嫌というほど嗅いでいる。一度でも嗅いだことのある者なら、忘れるはずのない匂いだ。いや、どこに混ざっていても嗅ぎ分けることが出来るはずの匂いだった。

やがて、玉城の報告を受けて、日下部《くさかべ》係長と共に鑑識係の二名が到着した。

「人骨だって?」

鑑識のうちの一人は、藪内奈苗《やぶうちなえ》だ。職場での、数少ない同性の仲間だった。彼女は緊張した表情で、貴子と現場とを見比べてから、「私、初めてだわ」と呟いた。

解体工事は完全に中断され、通報者の男性と、もう一人いた若い作業員は現場から外に出された。

「なるほど、間違いなく、人骨だな」

日下部係長は自分の目でもじかに確認した上で、警視庁本部に、検視官および検視係員の臨場《りんじょう》を要請した。

「事件かしら。事故、ですかね」

貴子は、隣の玉城に小声で話しかけた。

「それは、これからだ」

玉城は生真面目《きまじめ》そうな表情で応《こた》えた。

桜が見頃を迎え、または短い盛りを過ぎる頃になると、東京には毎年必ず雨が降る。白骨死体発見の通報がなされた翌日も、下町は春の雨になった。

その雨を避けるように水色のビニールシートをテント状に張り巡らして、貴子たち捜査関係者は、警視庁本部から投入された機動鑑識員と共に、やはり本庁捜査一課の検視官臨場の上で、日下部係長の指揮に従って、死体の掘り起こし作業を行なった。

貴子だって、これまでに何体もの死体を見てきている。ことに機捜にいた頃は、通報を受ければ真っ先に現場に駆けつけるのが任務だったから、最も凄惨《せいさん》な場面を見なければならないことも珍しくはなかった。時として口元を押さえ、顔を背けながら、必死で状況把握に努めたこともある。だが、こんな風に作業服を着込んで土を掘るのは、刑事になってから初めての経験だった。

「慎重にな。そっと掘っていくんだ。骨を壊さないように」

日下部係長に言われ、貴子は、まるで庭仕事でもするような、可愛《かわい》らしいシャベルを手渡された。白い防護シートに囲まれた狭い土地には、数台の警察車両が現場を取り囲むように停まっており、車両自体がテントの支柱代わりにも、また、作業場にもなった。死体周辺の土の中には、見落とした小さな骨や歯などを始めとして、凶器の一部や被害者の持ち物など、どんな証拠資料が紛れ込んでいるか分からないから、掘り出した土も、すべて調べる必要がある。そのためのフルイなども用意されていた。

「考古学者って、こんな気分かね」

「どうですかね」

「懐かしいんじゃないの。こういうことしてると」

昨日、解体作業員が掘っていたよりもかなり広めに掘られた穴に入り込んで、小さなシャベルで少しずつ土を掘り、茶褐色に染まった白骨を掘り出していく。少し時間がたったとき、栗原《くりはら》という同僚刑事が「玉《たま》ちゃん」と、貴子の相方に向かって話しかけた。

「大学の時には、こんなことばっかりしてたんだろう？　何が専攻だったのさ」

「森林科学っていう」

「森林科学？　森林の、何を科学するわけ」

まあ、色々ですと答えて、玉城は姿勢を変えるとこちらを向いた。貴子を見て、太い眉《まゆ》をわずかに動かして見せる。うるさいよな、まったく。黙って仕事しようぜ、と言っているのが、貴子には分かった。こちらも微《かす》かに目元を細めて、本当にね、と応える。その程度のアイ・コンタクトなら通じる関係になっていた。玉城は、貴子を必要以上に異性として意識しない。そういう点で、ありがたい相方だと思っている。

前日、解体工事の作業員が最初に発見したのは、白骨死体の上腕骨だった。その段階でユンボのショベルは、白骨死体の上半身部分を鷲摑《わしづか》みにするように、土ごとすくい上げ、結果として骨格を壊してしまった格好になった。要するに、骨は既にばらばらに散らばっている。ショベルの爪《つめ》が当たったためか、肋骨《ろっこつ》の一部は砕けていたし、肩胛骨《けんこうこつ》も、思わぬところに飛んでいた。

「おい、鑑識。藪内。ここも撮っとけよな。そっちばっかりじゃなくて、こっちからも。のろのろしねえでさ」

背後で栗原が苛立《いらだ》った声を上げた。現場の証拠を記録するために、写真撮影は欠かせない。だが、本庁の機動鑑識だって動いているのに、栗原はわざわざ奈苗を呼んだ。

そういうヤツだ。

貴子に対してもそうだが、栗原という刑事は、同性には必要以上に馴《な》れ馴《な》れしくなるくせに、女性に対してだけは、途端に横柄《おうへい》で尊大になる男だった。平気で下品なからかいの言葉をかけてくるかと思えば、あからさまに見下した態度をとる。だが奈苗は、澄ました表情のまま、淡々とカメラを構えていた。

——それくらい、慣れないでどうすんの。言って分かる頭じゃない。年齢とも関係ないしね。育った環境か、もしかするとセクハラする遺伝子でも、あるんじゃないのかね。

以前、二人で飲んだときに、奈苗が吐き捨てるように言っていた言葉を、ふと思い出した。つい小さく笑いそうになりながら、貴子も、黙々と手を動かしていた。

「頸椎《けいつい》とか指先とか、小さな骨も見落とさないでくれな。この深さで、完全に埋まってたんなら、ネズミが曳《ひ》いてったってことも考えられんはずだから」

検視官の声がする。奈苗がシャッターを押すたびに、フラッシュの閃光《せんこう》が走った。

人間の骨は、全部でいくつあっただろう。確か、二百五、六にプラスアルファといったところだったと思う。以前、何かの講習を受けたときに教わった気がするが、忘れてしまった。

頭上からは、ブルーシートに滴《したた》る雨だれの音がぽと、ぽと、と響き、下からは柔らかい土の匂いが広がっていた。春とはいえ、足元から冷気が上ってくる。やがて、まだ硬かった土中から、大きな丸い骨が出た。

丁寧に掘り起こされ、土を払われた頭蓋骨《ずがいこつ》に向かって、検視官はまず軽く手を合わせ、それから手袋をはめた手で、丸い骨を捧《ささ》げ持つようにした。貴子たちも、それぞれ作業の手を止め、腰を伸ばして、検視官の手許《てもと》を見つめていた。本物だと分かっていながらも、奇妙に現実離れした、不思議な光景だった。

「それほど、古いホトケさんじゃあ、なさそうだ。五十年とか、百年とかっていう」

「分かるんですか」

すぐ傍にいた刑事が身を乗り出した。検視官は改めて、自分の手の中にある頭蓋骨をわずかに上下に揺するようにした。

「重さで分かるんだな。骨は、古くなればなるほど、脆《もろ》く、軽くなっていく。最後には、軽石みたいになるんだが、これは、まだ重いんだよ。しっかりしてる」

かつては誰かの脳を守り、首の上に鎮座していたに違いない頭蓋骨と向き合うようにしながら、さらに検視官は、これはおそらく成人に達している男性だと言った。

「おおよその年齢は、この縫合という、ひびで分かる。性別は形だ。頭頂部も、頭頂から前頭にかけても、全体に丸みを帯びている。そして、この、目の上だが、眉弓《びきゅう》が発達しているな。頬骨も、太くて、幅が広い。乳様突起も大きいだろう」

検視官は、周囲に集まっている刑事たちに教えるように、頭蓋骨のあらゆる部分を指で示しながら話を進めた。

「こうして見たところ、頭部に損傷はないようだが」

検視官はさらに呟きながら、いかにも大切そうに頭蓋骨を抱え、掘り出された骨をひとまとめにしている鑑識車両の方へ行ってしまった。貴子たちは、再び穴に屈《かが》み込んだ。

「ここは、家の間取りでいうと、どこだったんでしょうね」

「家主に聞いてみないとな。土地一杯に建てられた家だったっていうんだから、とにかく床下だったことは間違いないだろうけど」

玉城が考え深げに呟いた。

「そこに、こんなに、きちんと埋められてたわけだ。かなりの深さに」

貴子も、それを考えていた。

ここまで完璧《かんぺき》な白骨死体になってしまっている場合、死因の特定は困難を極める可能性が高い。無論、骨そのものに、たとえば傷や穴、衝撃を受けた痕《あと》などが残っていれば、多少の推測は成り立つが、そうでなければ、手がかりさえも腐敗して消え去っているからだ。つまり、事件性の有無そのものを判断するのが困難になる。

だから室内や屋外など、普通に人が立ち入る場所で白骨死体が発見された場合には、病死か自然死か、自殺か他殺かの区別がつけられない場合も少なくない。そんな場合は、周辺の状況から推測するより他に方法がない。

だが、今回は違っていた。解体中の家屋の、室内から発見されたというのなら分かる。百歩譲って、床下に転がっていたというのでも、まだ病死や自殺の線を拭《ぬぐ》いきれないかも知れない。だが、おそらく成人男性だろうと言われたばかりの死体は、完璧に埋められていたのだ。しかも、鑑識が測定したところでは、七十センチ以上は確実にあるという、それなりの深さの場所に。たとえば自殺するのに、自分で穴を掘り、自分で埋まる人間など、いるはずがない。理由はどうであれ、第三者が上から土を被《かぶ》せなければ不可能だ。

「でも、まあ、それほど難しいヤマじゃあ、ないさ。家主だってはっきりしてるんだし、過去ここに住んでた人間を、片っ端から潰《つぶ》していきゃあ、いいんだから」

栗原が脇《わき》から口を挟んだ。なるほど、言われてみれば、その通りかも知れなかった。

不特定多数の人間が出入りする建物ではなく、貸家とはいえ、個人の住宅だったのだ。

「舌骨が、見つからんかね」

再び、頭上から検視官の声が降ってきた。言葉としては知っているが、貴子は舌骨の形状など、実は見たことがない。ただ、舌骨というのは人間の頸部正面、甲状軟骨の上にある骨で、細く、脆いものだと聞いている。だから、頸部を圧迫されて死亡した場合は、簡単に折れてしまう。要するに、絞殺《こうさつ》、扼殺《やくさつ》などの重要な証拠になる。

大半の捜査員たちの意識は、頭蓋骨が出てきた周辺に向かった。さほど大きくもない穴の中で、他の捜査員たちと、時として尻《しり》をぶつけそうになりながら仕事をするのは嫌だった。ひと通り周囲を見回して、貴子は、誰もいない位置に移動することにした。死体の足元の方だ。まだ、足首から先が、ほとんど掘り出されていない。

少し掘っていたとき、ふいに、大きくて太いミミズが、にょろりと姿を現した。骸《がい》骨《こつ》を見ても何ともないくせに、これには心底、ぞくっとした。咄嗟《とっさ》に、全身がびくりと震えて、頭から冷や汗が噴き出す。

――やめて。出てこないで。頼むから。

何が嫌いといって、貴子は、足のない生き物ほど苦手なものはないのだ。足が多すぎるのも困るが、ミミズやナメクジの類《たぐい》は、とにかく生理的に受けつけない。だが、ここで悲鳴など上げたくはなかった。栗原あたりから「やっぱり女だな」などと言われてはたまらない。目の前でのたくっているミミズをシャベルの先でそっとすくい上げ、出来るだけ遠くに放り投げて、密《ひそ》かにため息をついてから、貴子はまた土に向かった。

「——あれ」

骨以外でも、衣服の切れ端でも何でも構わないから、証拠資料となるような何かが出てきてくれれば良いと思いながら、さらにしばらく小さなシャベルを動かしていると、ふいに、こつん、という手応えがあった。掘り進めると、薄茶色の丸い物体が見えてきた。再び心臓が高鳴ってくる。さっきの、ミミズの時とは、まるで違う。

「あの——検視官！　ここにも、あります」

しばらくの間、無機的な音ばかり響いていた空間に、自分の声が妙にはっきりと、大きく響いたのが分かった。

「もう一つ、頭蓋骨らしい物が」

穴の周辺にいくつもの足音が集まってくる。その音の中から、「どれ」と検視官がやってきた。奈苗のカメラがフラッシュを光らせる。

「——本当だ。おい、慎重にな」

上部の土は、スコップを使う捜査員が取り除いた。一体、どれくらいの年月、家の下に隠れていたのか、完全に乾ききった土は非常に硬くなっていたらしく、彼らが息を弾ませるたびに、花冷えの空気の中に、吐く息が白く溶けていった。

骨は白いものだとばかり思っていたが、長い年月、土中に埋められていたものは、土に染まって、やはりもう一体と同様に、茶色っぽく変色していた。

「この角度からすると、だ」

まだ完全に掘り出せていないまでも、頭蓋骨の向きが分かってきたところで、検視官は腰を屈め、よくよく観察した上で、ふう、とため息をついた。

「さっき出た死体と、こう、互い違いに埋められてるわけだな。頭と足の向きを逆にして。それで——こっちは、女だ」

検視官の言葉を聞いた瞬間だった。貴子は、二の腕から首筋にかけて、すうっと不思議な感覚が走り抜けていくのを感じた。まるで誰かの気配が、または、目に見えない何かが、実際に貴子を撫《な》でて通り過ぎていったような感覚だった。

——苦しかっただろうに。

この骨は、かつて皮膚が被さり、髪が生え、目を動かしたり、声を発したりしていた。普通に笑い、泣き、生活する、一人の人間の頭部だったのだ。周囲の土には、溶けきったすべての組織とともに、死者の思いが染《し》み込んでいる。自ら望んで、こんな形になったわけではないと告げている。今さっき感じた妙な感覚は、そんな死者の思いかも知れない。

「二人か」

「本部設置、だな」

「この段階で？」

背後で同僚たちが囁《ささや》き始めた。現段階で分かっていることは、とにかく二人の人間が土中に埋められていたということだ。殺人事件とまでは特定できないまでも、間違いなく死体遺棄事件ということになる。

「戦争中の骨っていうこと、ねえのかな。空襲で死んだ人の」

「さっき検視官が、そんなに古くないって言ってたじゃないか」

確かにこの界隈《かいわい》は、第二次世界大戦中に激しい空襲に遭い、ことに東京大空襲のときには膨大な犠牲者を生んだ地域だった。今も、区内の様々な場所に慰霊碑が建っている。

「空襲の犠牲者だとしたって、マスコミは騒ぐぞ、きっと」

いずれにせよ住宅地のど真ん中から、男女の白骨死体が出たとなれば、社会的な反響も大きいことは間違いない。明日になったら、この周辺にはマスコミ各社の車が数珠《じゅず》繋《つな》ぎになるかも知れない。いや、天気さえ良ければ、上空をヘリコプターだって飛ぶだろう。そういう注目を集めながら、果たして自分たちはどういう動き方をすることだろう。

——とにかく、忙しくなる。

今日の雨で、桜も終わるはずだ。そうすれば、まるでお祭り騒ぎのようだった連日の人出は潮が引くように止《や》んで、町にも、貴子たちの生活にも、日常の静けさが戻ってくる。実をいえば、貴子にはそれが怖かった。考えたくないことがあるのだ。どうしても。

——俺は、いいよ、べつに。どっちでも。

昂一《こういち》の声が耳の底に蘇《よみがえ》った。貴子は慌《あわ》てて気持ちを切り替えようとした。考えない。考えても、仕方がない。だから今は、自分のすぐ目の前に横たわっている、この白骨死体に集中するしかないのだ。

発掘の穴が、さらに大きく広げられた。ブルーシートを叩《たた》く雨の音が、わずかに大きくなったようだった。もうすぐ日暮れだという頃、「検視官！」という機動鑑識員の声が響いた。

それこそ遺跡の発掘調査のように、被さっていた土を丁寧に取り除き、全体の骨格が現れ始めた新たな白骨死体の、ちょうど骨盤のあたりに、丸い玉のようなものが見えた。検視官が、その傍に屈み込んだ。

「赤ん坊、だな。この位置からすると——胎児だったかも、知れん」

現場には総勢、二、三十人の警察関係者がいたと思う。それだけの人々が、一様に息を呑《の》んだのが分かった。

——胎児？

貴子も、胸を衝《つ》かれたように感じた。ふいに、妹の顔が思い浮かんだ。

貴子には妹が二人いる。その、上の方の妹が、来月には出産を控えていた。子どもの頃から妙に理屈っぽくて、どちらかといえば気むずかしい、貴子にしてみればつき合いづらい部分のある妹だったが、結婚して、ことに妊娠が分かってからは、ずい分、穏やかな表情を見せるようになった。その妹の姿と、目の前の白骨死体とがダブってしまった。

「腐乱とかの具合で、死後に胎児が出ちゃうことがあるって、聞いたことがあるな」

「つまり、妊娠中に、埋められたのかよ」

「なんか——ひでえな」

刑事たちの呟《つぶや》きが広がる。ブルーシートを通して、水の底のように青く染まって見える景色の中で、小さな小さな頭蓋骨は、ソフトボール程度にしか見えなかった。

その日は、日が暮れた後も照明機材を持ち込んで、なお発掘作業を続けることになった。何度も手許の時計を見ては、「切りのいいところで」と口にする上司もいたが、土にまみれて骨を掘り起こしている刑事たちが、それを拒否した。今、作業を中断しては、ホトケたちに対して気の毒だ、哀れではないかという空気が広がっていた。あまりにも小さな頭蓋骨が出てきた段階で、それまでは比較的淡々と仕事をこなし、全体に静かだった雰囲気が、一変していた。生々しい死体を見せつけられたときと同様の、何ともいえない怒りと悔しさが、誰の胸にもこみ上げてきたのかも知れなかった。無論、貴子も同様だった。

「殺しだとしたら、すげえ野郎だな。相手が妊婦だっていうことぐらい、ひと目見て分かったはずだろうに」

「つまり、何人、殺したことになるんだ」

「刑法上は——二人かな。確か、胎児が母体から、一部でも出た段階で『人』になるんだと思った」

「だけど、実際には三人だよな。誰の目から見ても」

「三人だ。紛れもなく」

夜が更《ふ》けるにつれて、さらに気温が下がった。雨音に包まれ、照明の明かりを受けながら手を動かす捜査員たちの息は、どれも白く見えた。貴子は途中から、掘り出した土をフルイにかける担当に回っていた。

――悔しかったんなら、何か遺《のこ》して。何でもいいから、私たちに、メッセージとして受け取れるものを。

ほとんど、祈るような気持ちになっていた。だが、土中に埋められた彼らは、果たしてどれくらいの年月を経て今日という日を迎えたのか、骨をのぞく肉体のすべてが消え失《う》せたのと同様に、衣服の切れ端さえも、容易には見つからなかった。

2

「もしかすると、本部事件になるかも知れないって感じ」

その晩、貴子は昂一に電話をかけた。何とも重苦しい、嫌な疲労感を引きずって帰宅した後の、既に零時近い時刻だった。耳の底には、一日中聞いていた雨だれの音が残っていたし、目を閉じると、哀れな女のしゃれこうべが浮かび上がってくる。今夜はもう遅いからやめようかとも思ったが、この数日はメールでのやりとりしかしていなかったし、これは義務感などではなく、貴子自身が求めているからだと自分なりに答えを出して、電話に手を伸ばした。

「夜のニュースでやってたよ。それで結局、何体出たんだって？」

受話器を通して、耳になじんだ柔らかい声が聞こえてくる。静かで、穏やかで、いかにも何ごともない一日を、当たり前に送ったかのような声だった。貴子は、自分も出来るだけ淡々と、掘り出された三体について説明し、だが、実に小さな頭蓋骨《ずがいこつ》しか持っていなかった赤ん坊が、胎児のまま死亡したのだとすると、刑法上は人数に入れられないようだと説明した。

「哀れな話だなあ。だけど、胎児だったか、生まれたての赤ん坊だったかなんて、骨だけでどうやって分かるんだ」

「知らない。明日には骨鑑定《こつかんてい》に出すはずだけど、専門家でも、そこまでは分からないかも知れないって。ただ、確かに女性の骨盤近くに小さい頭蓋骨があったから、その状況から判断するしか、ないんじゃない？」

あとは被害者の身元さえ特定出来れば、家族や知人からの証言、通っていた病院の資料などを基に、彼女が妊娠中に死亡したのか、産後だったのかを調べ上げられるはずだ。

「なるほどな。じゃあ、忙しくなるな」

「――ごめんね」

「何で」

受話器の向こうから、カラン、と澄んだ氷の音がした。今夜も昂一は水割りを飲んでいるらしい。それだけで、貴子は少し不安になった。問題はないのだろうか。

「何、謝ってんだよ」

「――何となく。忙しくなったら、何ていうか――」

「俺の世話が出来なくなる、か？」

口調は変わらない。だが、昂一の声が微《かす》かな苛立《いらだ》ちを含んだのは、すぐに分かった。貴子は「そういうわけじゃないけど」と呟《つぶや》きながら、だが、そういうことなのだと考えていた。そうだ。出来るだけ、そばにいたいと思っている。特に何が出来るわけではないにしても。そうすべきだと。

「なあ、貴子」

微かなため息について、昂一の声が貴子を呼んだ。貴子は、一人の室内に虚《うつ》ろな目を向けながら、「なに」と応《こた》えた。今頃、昂一の目には何が見えているのだろう。

「何度も言うけど、俺は、そういうのが嫌なんだって」

「――分かってる」

「まったく。お前が、こんなに一つのことを引きずって、暗くなるタイプだなんて思わなかったよ。だから俺、言ったろう」

相手とじかに向き合っているわけでもないのに、つい視線がうつむきがちになった。

――俺は、いいよ、べつに。どっちでも。

別れても、別れなくても。

そういう意味だったと思う。あのときは即座に「何、言ってんのよ」と言い返したものの、そこから先の言葉が続かなかった。別れても良いというつもりではなく、これから先のことを、どう考えていけば良いものか、すっかり分からなくなったからだ。

「なあ。聞いてるか」

「聞いてる。それで、どうなの、今日は」

「今日は――天気がこんなだったからさ。あんまりよく見えなかった、かな」

「――明日は、晴れるといいね」

「まあね」

昂一が、長い間大切に乗ってきたオートバイを売ると言い出したのは、つい先月、そろそろ春の彼岸に入ろうという頃だった。連休は少しくらい休めるはずだったから、二人で遠出でもしようと考えていた貴子は、最初、彼が新しいオートバイに買い替えるつもりなのだと解釈した。だが彼は、もうオートバイには乗らない、と言った。

「目の具合が、よくないんだ。四輪の方は、まだ何とかなりそうだけど、二輪は、やめた方がいいだろうって」

少し前から、目の調子が悪いという話は、貴子も聞いていた。一緒に歩いていても、何かを見落としてぶつかるようなことがあったから、貴子も何となく気にはかかっていたのだが、だからといって、それほど深刻には受け止めていなかった。傍目には、べつに悪そうになど見えない彼の瞳《ひとみ》をのぞき込みながら、貴子が、眼鏡やコンタクトレンズで何とかならないのかと尋ねると、昴一は笑っているのか泣きそうなのか分からない、何ともいえない表情になった。近視でも乱視でもない。無論、老眼というのでもない。

「網膜色素変性症っていうんだってさ」

簡単にいうと、眼の網膜が壊れていく病気だという。それに従って視野が狭くなるらしい。先天性の病気で難病に指定されており、現在のところ、治療法はない――一つ一つの言葉が、空々しいほど静かに、貴子の中を通過していった。どこから見ても健康そのものの、いつもの昂一が、一体、何を言い始めたのか、まるで分からなかった。

「——つまり、どういうこと」

「まあ、何ともいえないらしいんだけど。下手すると——」

昂一は、無精鬚《ぶしょうひげ》の生えかかった顎《あご》をこすりながら、いかにも仕方ないといった表情で、深々とため息をつき、「失明」という言葉を口にした。

「——に、近い状態になるかも、知れないってさ」

あのときばかりは貴子も慌《あわ》てた。頭が混乱して、「なんでよ」「どういうことなのよ」と昂一に詰め寄り、では、これから昂一の仕事はどうなっていくのだ、生活は、行動は、将来は、そして自分はどうなるのだ、などと口走った。その結果、「べつに、どっちでも」と言われてしまったのだ。自分は、今のまま生きていくしかない。貴子は、貴子の人生をよく考えろ、と。

あの時の混乱が、実はずっと尾を引いている。かつて聞いたこともない病名を、頭に刻みつけるだけでも大変だったのに、では、その病気を抱え込んだ男と、どういう道を歩めば良いのか、貴子自身が、その病気とどう向き合っていくべきなのかが、まるで分からないままだった。

「そうだ。俺、来月から、またイタリアだから」

つい、ぼんやりしかかったとき、昂一の声が言った。

「──誰かと、一緒に行くの」

「まさか。ガキじゃあるまいし、向こうに行けば知り合いもいるんだから」

「そうかも知れないけど──」

小さな舌打ちと、今度ははっきりとしたため息が聞こえた。それからまた、グラスの氷の鳴る音。昂一の苛立ち。ただでさえ、彼は貴子があれこれと世話を焼こうとするのを嫌がる男だった。母親のような真似《まね》をするなと、これまでにも何度か言われてきている。それは分かっていたが、だからといって、まるで無関心でいられるはずがない。この状況で、「あら、そう」などというひと言で済ませられるはずがないではないか。

「どれくらい？」

「今回は、ちょっと長くなるかな。向こうの工房を借りて、少しさ、まとまった仕事してこようと思うから」

「──一ヵ月以上？」

「多分」

仕方がない。

昂一の病気が、どの程度まで進行しているのか、貴子は正確なことを知らされていない。とにかく病気そのものの特徴として、症状に個人差が大きく、たとえば天候の違いによる見え方なども、人によってまるで違うのだそうだ。だが、急速でないまでも、徐々に進行中であることは確からしい。視界が狭まりつつある。闇《やみ》が広がりつつある。だとしたら、まだ見えている間に、好きな仕事をしたい、動けるだけ動きたいと思うのが当然だ。

昂一は家具デザイナーの肩書きを持ち、特に椅子《いす》を専門としていた。デザインから素材選び、製作までをほとんど一人でこなしている。今現在、貴子が腰掛けている椅子も、彼から贈られたものだった。一人で過ごすとき、貴子は大抵、この椅子に座っている。貴子のためだけに作られた椅子は、腰掛けているだけで昂一に抱き留められているような気分にさせてくれた。

「べつに問題、ないだろう?」

「どう言って欲しい?」

そうだな、という声は、本当に以前とまるで変わらないと思う。それなのに、妙にもの哀《がな》しく感じるのは、貴子自身が変わってしまったからなのだろうか。不治の病を抱えた男と、どういう関係を続けていけば良いのか迷うということは、昂一への気持ちそのものが変わってきているということなのだろうか。

「淋《さび》しいけど待ってるわ、とかさ」

「イタリア女なんかと浮気するんじゃないわよ、とか？」

「そうそう」

「それ以上、太って帰ってこないでよ、とか？」

「それそれ。行く度に二、三キロは太るもんなあ」

「――万一のときの用意をしてって。病院の紹介状とか、カルテとか。主治医にも相談して、注意事項を指示してもらって」

せめて、それくらいは言わずにいられなかった。「分かってる」という返事を聞き、さらにもう少し雑談をして、電話を切ったときには午前一時を回っていた。話せて良かったとは思ったが、何となくため息が出た。

――考えても仕方がない。なるようにしか、ならない。

本当は今年あたり、貴子は貴子なりに、何らかの結論を出すときが来るのではないかと考えていたのだ。貴子だって、今年で三十六になる。もう一度、誰かと生きていくことを考えるのなら、そろそろ踏ん切りをつけても良い頃ではないかと思っていた。

とはいえ、これまでの昴一との関係に、別段、何の不満も不自由も感じていたわけではなかったが、実家の両親も心配している様子だし、やはり「けじめ」のようなものが必要かも知れないという気にも、なっていた。そんな矢先に、降って湧《わ》いたような病気の話だった。

網膜色素変性症。

そんな病気の存在すら、知らなかった。昴一自身も、知らなかったと言っていた。実はもう何年も前から、少しずつ進行していたらしいことも、まるで気づかなかったらしい。考え始めると、やはり「なぜ」「どうして」という思いが渦を巻く。

「ああ、やめ、やめ！　考えないっ！」

カロリーオフの缶チューハイをひと息に飲み干してしまうと、貴子はその勢いのまま、ベッドにもぐり込んだ。考えないためには、寝るしかなかった。

翌日も現場検証に費やされ、その翌日から、貴子たちは本格的な捜査活動に入った。とはいえ現段階では、死体遺棄事件であることは明確であるものの、「殺人」と断定できるだけの材料がないばかりか、被害者の身元も死亡時期も、まるで判明していない。大学の法医学研究室に骨鑑定に回された死体の鑑定結果が出るまでには、一週間程度はかかる見込みだという。そのため、捜査本部設置は、もう少し詳しい状況が分かってくるまで見合わされることになった。現段階では、捜査本部設置も「視野に入れて」、取りあえず本庁捜査一課から一個班の応援だけが加わっての捜査活動を始めるということだ。

貴子と玉城とに割り当てられた任務は、解体家屋の所有者への聞き込みだった。「賃貸借契約書でも何でもいい、記録が残ってるはずだ。資料になりうるものを借り受けて、もちろん、家主からも出来る限り、話を聞いてくれ」

指示を出す都筑《つづき》刑事課長の表情も、いつになく張り切って見えた。家主の氏名や連絡先などは、既に、解体業者から提出を受けた資料により判明している。貴子の中でホイッスルが鳴った。

解体した家屋および土地の所有者は、同じ墨田区内東駒形《ひがしこまがた》に居住する、今川篤行《いまがわあつゆき》という人物となっていた。東駒形といえば、この隅田川東署からも大した距離ではない。取りあえず記載されていた番号に電話を入れてみたが、何回コールを繰り返しても、誰も出る気配はなかった。

「行ってみよう」

玉城が、たくし上げていたワイシャツの袖《そで》を戻しながら言った。貴子も、即座にバッグを肩にかけた。さっき、頭の中で聞いたと思ったホイッスルの余韻が、まだ残っている。

始まった。走り始めた。

こうなったら、出来るだけ最短距離でゴールまで突っ走りたかった。夢中になりたい。そして、あの哀れな白骨死体を、今度こそ安らかに眠らせてやりたかった。

「今日は、刑事さんなんですか？　もう来てくれたの？」

留守を覚悟で訪ねてみると、ところが、さっきは不在だったはずの今川篤行の家から、女が大あわての様子で飛び出してきた。四十代半ばといったところだろうか、何かに憑《つ》かれたかのように目を大きく見開いている。その顔も、乱れた髪も、まるで構っていないと分かる、全体にひどく疲れた印象の女だ。

「またなんですよ。もう、またなの！」

声を上げるなり、女は、今度はがっくりと玄関脇《げんかんわき》に身体《からだ》をもたせかける。

「もう、ほとほと――本当、疲れた」

「あの――何かありましたか。警察を呼んだんですか」

指し示した警察手帳を懐《ふところ》にしまい込みながら、玉城が遠慮がちに口を開く。すると、彼女は力のない瞳をこちらに向け、それから初めて困惑した表情になった。だって、と、荒れた唇の間から声がした。

「警察の人、なんでしょう」

「そうですが。こちらの、今川篤行さんに、二、三うかがいたいことがありまして」

ああ、ああ、と言うように、今度は女は自分の額を押さえ、天を仰ぐ。

「分かった。うちの、あの土地のことでしょう。東向島の」

女は、いかにも面倒くさそうに顔をしかめて、さらにため息をついた。

「工事屋さんからもね、何度も電話がありましたけど、うちも今、それどころじゃないんですってば。だから、立ち会いとかいうのも、全部、工事屋さんに任せたでしょう。現に今だって——」

女が言いかけた時、背後からバタバタと足音がした。振り返ると、制服の警察官が二人、駆けてくる。貴子も見知っている地域課の警察官だ。彼らの方でも、貴子たちに気づくと驚いた表情になったが、誰が口を開くよりも早く、女が「何とかしてっ」と声を上げた。

「またなんですっ。ホームの先生も、このところはずっと落ち着いてるから大丈夫です、なんて言うから、連れて帰ってきてみれば、また！　たった一週間の間に、二回も！」

「いつ頃、気づいたんですか」

一人が女の相手をしている間に、玉城がもう一人の袖を引き、少し離れた場所まで連れてきた。されるままになりながら、若い巡査は「ご苦労様です」と小さく敬礼した。

「何、どういうことなんだい」

「徘徊《はいかい》老人なんですよ」

「徘徊？」

「普段は老人ホームに入ってるんですけど、たまに帰ってくるんですね。で、時々、こういうことになるんです。つい四日前にもいなくなっちゃって。結構、探し回って」

「その、老人の氏名は」

「今川篤行。八十二歳です」

思わず、玉城と顔を見合わせた。これから話を聞こうとしている相手の情報としては、かなり嬉《うれ》しくない話だった。

「もう、最低だわ。最低！　人の気も知らないで。大体、うちのお父さんっていう人はね、昔から身勝手な人だったんです。死んだお母さんだって、さんざん苦労させられて、泣かされて、だから他の兄弟も寄りつきもしなくなって、皆、私に押しつけて。その上、最後には惚《ぼ》けるなんて――」

背後では、女のかき口説く声が続いている。彼女は今川の娘なのだそうだ。

「もともとは、別のところに住んでたらしいんですけど、何年か前に離婚して、一人息子を連れて戻ってきたんだそうです。奥さんを亡《な》くされてから、親父《おやじ》さんはしばらくここで一人暮らしだったらしいんですがね。それから間もなくして、痴呆《ちほう》が始まったっていう話でした。でも、まだ完全な痴呆――認知症でしたっけ。っていうわけじゃなくって、まともなときも結構、あるにはあるらしいんですけどね」

せっかく勢い込んで訪ねたものの、出鼻を挫《くじ》かれる格好になった。今川篤行本人が無理だということなら、あの女から話を聞くより他なさそうだが、それにしても、もう少し落ち着いてからでなければ、どうすることも出来ない。貴子は、玉城の質問に受け応《こた》えしている巡査と、自分の窮状を訴え続けている今川の娘とを見比べながら、密《ひそ》かにため息をついた。この分では、当初予想していたようには、そう簡単に片づきそうにない。何となくそんな気がし始めた。

「手配はすんでますから、ね。うちの管内だけじゃなくて、この周辺一帯に手配しましたから。それに、前に一度、自力で帰ってきたこともあったじゃないですか」

「私たちも探しますから」

ついロにしてから、ねえ、と言うように振り返ると、玉城もうなずいている。仕方がないよな。そう。仕方がないわね。取りあえずの目標が徘徊しているのなら、それを追いかけるのも任務の一環だ。

「この前の時は、隅田川沿いのホームレスに混ざってたと聞いてます」

過去の、老人の徘徊コースに一定の法則性のようなものはあるかと尋ねたところ、若い巡査はそう答えて、だが、それ以外の行動パターンは、まるで予測がつかないようだと言った。

「じゃあ、俺らは隅田川に行くよ。こっちも、そうのんびりとは、していられないんだ」

若い警察官の表情がぱっと輝いた。

「あの、白骨死体のことですか」

今回の事件に関しては、社会的反響もさることながら、隅田川東署内でも、かなりの話題になっている。この管内は、ひったくりや空き巣、繁華街での喧嘩《けんか》、傷害や料金トラブルなどといった事案はぽつぽつと発生しているものの、ここまで大きな刑事事件となると、実は意外なくらいに無縁な土地だった。「小悪党しかいない地域」と表現する先輩もいるくらいだ。だからこそ、課長も係長も張り切っている。

玉城が係長に報告の電話を入れている間に、貴子は今川篤行の人相・着衣などを娘から聞き取った。身長一メートル六十センチ前後。頭頂部には髪がなく、残った髪は白い。顔は色白で顎《あご》にホクロ。今日の服装は、下がグレーのジャージ、上は薄茶のニットにえんじ色とグリーンのカーディガン。

「こういうことも、刑事さんがやってくれるんですか」

貴子の質問に答える形で、自分の氏名を「今川季子《としこ》」と名乗った娘は、疲れた中にも少しばかりの安堵《あんど》を滲ませて、不思議そうな顔をした。貴子は、つい苦笑しながら、今回は特別だと答えた。

「お父さんが見つかって、少し落ち着いたら、奥さんからも二、三、お聞きしたいことがあるんですが」

「いいですけど――私、誰の奥さんでも、ないですから。名前で呼んでください。今川さんでも、季子さんでも、何でもいいです」

今川季子は、どこか諦《あきら》めたような、うんざりした表情で、ちらりとこちらを見て呟《つぶや》いた。その気持ちは、貴子にもよく分かった。こちらが、ある程度以上の年齢だと思うと、人はすぐに「奥さん」という呼び方をする。新婚の頃などは、何となく気恥ずかしく、くすぐったいような嬉しさもこみ上げたものだが、離婚した今も同じ呼び方をされると、つい「違います」と言い返したくなるのは、貴子も同様だった。

数日前の雨が、やはり大半を散らしてしまったのだろう。隅田川沿いの桜はすっかり終わって、代わりに瑞々《みずみず》しい若葉が顔を出し始めていた。

花見客でごった返していた頃には、行政の指導もあって撤去されたホームレスの段ボールハウスだが、たった数日の間に、ものの見事に何十戸もが復活していた。ホームレスとはいっても、丸一日、何もせずにいる者たちは、そうはいない。食料探しの他にも、段ボールや空き缶、古雑誌などの回収を始めとして、様々な日雇い仕事をしながら暮らしている者が多いという話だった。どこから集めてきたのか発電機を持ち、テレビや電子レンジ、中にはパソコンまで置いている者などもいるくらいだ。貴子たちは隅田川緑道公園の塀に沿って連なる、それらの段ボールハウスを一つ一つ訪ねて歩いた。

「見てませんね」

「知らないねえ」

だが、いくら歩いても、似たような答えしか返ってこない。何人か尋ねて歩くうち、ようやく数日前に会ったというホームレスにたどり着いた。彼は「またかよ」と笑った。

「俺、説教されたんだぜ、爺《じい》ちゃんに。最初は普通の爺ちゃんだとばっか思ったからさ、我慢して聞いてたわけさ。しっかりしろ、とか、真面目《まじめ》に働けとか言われてな。だけど、俺がラーメン作り始めたら、急だよ、急にもう、よだれ垂らしそうな勢いになっちゃってさ。しょうがねえから、食わせてやったさ」

三十になるかならないかだと思う。まだ相当に若いホームレスだった。ダブダブのジーパンを穿《は》いて、喋《しゃべ》っている間も、ずっと小刻みに身体を揺すり続けている。たとえ老人でなくても、「もう少し何とかならないの」と言いたくなるタイプだと思いながら、貴子は、彼の話を聞いた。

今川篤行を無事保護したと連絡が入ったのは、結局、大してめぼしい話も聞けず、手がかりも見つからないまま時間がたち、やがて隅田川の向こうに陽が傾いて、ホームにさすがの貴子たちでさえ焦《あせ》りを覚え始めた頃だった。

「本当にもう、今度という今度は考えます。出来ることなら今夜中にでも、ホームに戻ってもらいたいくらい」

東駒形の家を訪ねると、今川季子は、安堵と怒りで泣きたいくらいだといいながら、深々とため息をついた。そして、彼女は目元に涙をにじませて「こんなことだから」

と声を詰まらせた。

「子どもにだって可哀相《かわいそう》なことをしてると思いますよね――本当に」

そういえば、と思ったのと、玉城が「お子さんは」と言ったのとが同時だった。季子は、出かけている、と短く答えた。

警察車両で送られてきた今川篤行は、警察官に両脇を抱きかかえられるようにしながら玄関先まで来ると、開口一番「腹が減ったな」と声を上げた。発見されたのは隅田川の向こう、浅草寺の境内だそうだ。そこで、ぼんやりと鳩《はと》を眺めているところを保護された。

「何なのよ、もう、お父さんってば！」

季子が悲鳴に近い声を上げて、父親の腕に取りすがる。すると今川は、さも驚いたように自分の娘を見た。その表情は実に落ち着いていて、ごく当たり前の老人にしか見えない。八十二歳と聞いたが、背筋も伸びており、身だしなみも悪くなく、むしろもう少し若く見えるくらいだ。

「何ていう声を出すんだよ。いいから、早く、めしにしてくれよ」

「――自分が何したか、分かってんのっ！」

「何って――」

「どこまで迷惑かけたら気が済むのよ！」

忘れてるんですよ、と困った顔の警察官が口を挟む。

「今、車の中でも確認したんですが、浅草まで行ったことも、どういう道順で歩いたかも、忘れてるみたいなんです。あんまり、叱《しか》らないであげてください」

そんなことも、と呟いたきり、呆然《ぼうぜん》とした表情の季子を無視して、老人は、さっさと家に上がり込もうとしたが、ふと振り返って玄関脇《げんかんわき》に立つ貴子たちを見た。「お宅さんらは」と眉《まゆ》をひそめる表情には、ある種の威厳さえ備わっているようで、この老人の、果たしてどこが妙な具合になっているのだろうかと思わせる。

「うちに何か、用事かい。こんなところで、何、突っ立ってんだ」

「今川さんに、お訊《たず》ねしたいことがあって、待ってたんですよ」

玉城が如才ない笑みを浮かべる。今川老人は、「ほう」と言うと、開け放ったままの玄関に足を踏み入れ、上がり框《かまち》に腰を下ろした。その間に、老人を送ってきた警察官たちは帰り始め、季子も、それを見送るためか、「ちょっと」と言って出ていった。

「そんで？　お宅ら、どちらさん」

申し遅れました、と玉城が警察手帳を見せる。ところが、自分で聞いておきながら、手帳には目もくれず、今川は「腹が減ってるんだ」と言った。

「早くめしにしてくれっていうんだよ。おおい、里恵《さとえ》！」

誰を呼んでいるのだろう。季子なら、たった今、外に出て行ったのを、老人も見ているはずだ。まだ誰かいるのだろうか。地域課の巡査の話では、この家には季子と、その子どもがいるだけだという話だった。

「里恵！　おおい！」

老人は家の奥に向かって呼び続けている。こちらの方が化かされているような、何とも奇妙な気分だった。

「東向島の、貸家のことなんですがね」

玉城が、老人の意識をこちらに向けた。すると、今川は「ああ」と、まるで予測していたかのようにこともなげに頷《うなず》き、あそこはもう誰にも貸していないと言った。

「大分、古くなったもんでな。根太《ねだ》もゆるんでるし、雨漏りもするし、少しは手を入れるか何かせんことには、新しい借り手もつかんだろうっていうんで」

「じゃあ、建て直しでも」

「まあ、そのうち、そういうこともしなけりゃあ、いかんだろうとは思ってるよ」

知らないのか、忘れているのか。言葉通りに受け取るなら、今川の頭の中では、あの貸家は、まだ建ち続けているらしい。

「じゃあ、ですね、これまでに、あの家を借りてきた人たちのことなんですけど」

「あの家を？　店子《たなこ》かい」

「その人たちについての記録のようなものがあったら、見せてもらえませんか。契約書とか、家賃の支払いの帳面とか、何でもいいんですが」

本人が何も覚えていなくても、それさえ手に入れば、何とかなるはずだ。貴子は身を乗り出すようにして老人を見た。だが今川は、落ち着き払った表情で「知らん」と言った。

「そんなもん、わしは知らんね。そういうことは、里恵に全部、任せてあるんだから。里恵に直接、聞けばいいだろうが。あとな、周旋屋となー」

また里恵だ。それに、周旋屋？　貴子は玉城と顔を見合わせ、思わず首を傾《かし》げた。さすがの玉城も困惑した表情になっていた。

3

ほどなくして戻ってきた季子に尋ねたところ、里恵というのは今川の妻、季子の母親であることが分かった。もう十年以上前に他界したという。季子は「まったく」と吐き捨てるように言った。

「生きている間はさんざん泣かせたくせに。私のことまで間違うんですからね」

「さっきも、呼んでいらっしゃいましたね」

「でも、いつもってわけじゃないんですから、それも。どこまで惚《ぼ》けてるんだか、惚けたふりなんだか、分かりゃしない」

玄関先で話している間に、家の奥から「季子、めし！」という声が聞こえてきた。まだ貴子たちが話をしている最中だというのに、今川老人は何か思い出したようにひょい、と腰を上げ、家に上がってしまっていたのだ。季子は、いかにもうんざりした様子で「ほらね」と言い、ため息とともにこめかみを押さえた。

「私、普段はパートに出てますんでね。とにかく明日、朝一番で父をホームに帰して、それから久しぶりに仕事に行って、夜にでも探してみますから。今日のところは、これで終わりにしてもらえませんか。ああやって騒いでるし」

季子自身、心底疲れ果てて見えた。結局、その日は収穫ゼロで帰るしかなかった。

「周旋屋って？」

署まで戻る道すがら、貴子は、虚《むな》しい疲労感を覚えながら玉城に聞いてみた。靴の中で、足がむくんでいるのが分かる。冷たいビールが飲みたかった。

「多分、不動産屋のことじゃないか」

「周旋屋って言ったんですか。昔の人の表現ですか」

玉城は、そこまでは自分にも分からないと口元をほころばせた。

「初めて聞いた。さすがに俺も、昔の人間てわけじゃあ、ないからさ」

貴子もつい笑った。すると久しぶりに、顔の筋肉がほぐれるのを感じた。どうやら今日は一日中ずっと、強張《こわば》った顔で過ごしていたらしい。ふと、今川季子の顔が思い出される。彼女の顔の筋肉も、もうずい分、ほぐれていないように見えた。

「今夜、あの人、お爺《じい》さんをどうするんでしょうね。またいつ、いなくなるかも分からないと思ったら、おちおち眠ってもいられないんじゃないかな」

「縛りつけておくなんていう話も、よく聞くもんな」

玉城が呟く。貴子は、さっきの老人が鎖かヒモで縛りつけられている姿を思い浮かべた。同時に、かつて自分も似たような目に遭ったことがあるのを思い出し、慌《あわ》てて考えを切り替えることにした。まったく。こうも考えたくないことばかり増えていくのでは、たまらない。これが年齢を重ねていくということなのだろうか。

「どのみち、骨鑑定《こつかんてい》の結果が出ないことには、はっきりした方針は立てられん、か」

署に帰り着いてみると、意外なことに本庁からの派遣組も含めて、他の捜査員たちも、何の収穫もなかったらしい。刑事部屋には、疲れて弛緩《しかん》した空気が漂っていた。

「周旋屋ねえ、懐《なつ》かしい言い方だな」

仲介業者という意味で、不動産屋をそう呼ぶ人もいたと説明したのは都筑課長だ。今川篤行が「周旋屋」と呼んでいたのは、地元の古い不動産屋だということだけは、調べがついていた。

「代替わりしてましてね、息子が引き継いでるものだから、何も知らないらしいんです」

不動産屋にあたった捜査員は、諦《あきら》め気味に報告をした。

宅建業法の定めによれば、帳簿や契約書などの書類に関しては、五年間は保管しておかなければならないことになっている。その不動産屋では、念のため七年から十年近くは保管しているが、その後は順次処分しているということだった。では、あの貸家に関する、ここ最近の書類なら残っているかといえば、実は今川との間に結ばれていた仲介契約そのものが、既に六年ほど前に打ち切られているのだという。そのため、比較的最近まで保管されていた入居申込書や賃貸借契約書などといった類《たぐい》も、既にすべて処分済みだということだった。

人間の死体が白骨化するのには、一般に地上が最も早い。通常は一年程度といわれているが、条件さえ整えば、早ければ一週間から一ヵ月程度でも白骨化してしまうという。これが水中になると二年ほどとなり、土中となると七年から八年はかかると刑事講習で習った記憶がある。

「要するに、あの死体が埋められた頃の入居者に関する書類は、もう何も残ってない、と」

捜査員の一人がため息混じりに呟《つぶや》いた。

他にも、役所を始めとして、現場周辺の商店や住宅ばかりでなく、学校、病院などに聞き込みに回った捜査員たちが次々に報告をしたが、いずれもめぼしい手がかりは把握出来ていなかった。今朝はあんなに意気込んでいたのに、まあ、こんな日もあるさ、と、課長もため息をつくしかない様子だった。

「何しろ時間が経過してることだけは間違いないからな。骨鑑定の結果が出れば、もう少し絞り込みも出来るだろうが」

ところが数日後、待ち侘《わ》びていた骨鑑定の結果が出たものの、だからといって、これで何らかの糸口が摑《つか》めるはずだという期待は、見事に裏切られた。

「白骨死体は、それぞれ成人男女一体ずつ及び嬰児《えいじ》一体。成人男性および女性については、共に推定年齢二十代後半から三十代。嬰児については、性別不明。胎児か新生児であったかも不明。なお、成人男女については、いずれも舌骨大角および甲状軟骨上角部分に骨折が認められる。死後経過時間については、十年以上二十五年以下」

ひやりとなった。

改正刑事訴訟法が施行されて、殺人や強盗致死など、死刑を最高刑とする犯罪に対する十五年という公訴時効が、二十五年に変更になったのは、ついこの間のことだ。だが、この改正法は施行前に犯した犯罪については適用されない規定になっている。つまり今回の場合は、公訴時効十五年のままだということだ。下手をすると既に公訴時効を迎えてしまった事件である可能性があるということだった。あの男女の、また親子と思われる白骨は、たとえ殺人事件の被害者であると断定されたとしても、捜査対象にならない可能性があった。

まだ完全に、運に見放されたわけではない。そう思うべきだ。

舌骨や甲状軟骨が折れていたということは、外部から致死的な頸部《けいぶ》圧迫を受けたことの証拠となる。要するに、絞殺《こうさつ》または扼殺《やくさつ》の可能性が高いということだ。お互いの首を絞めあっての心中？　まさか。それなら誰が彼らを土中に埋めたのだ。

「まあ、こつこつと捜査するしか、しょうがない。もう少し目鼻がつくまでは、ここで放り投げるわけにもいかん」

捜査本部設置については、「視野に入れつつ」も、まだ見合わされた。最初に気合いを入れすぎただけに、課長の檄《げき》の飛ばし方も、今ひとつ迫力に欠けて聞こえた。

「やっぱり、何とか思い出してもらうよりしょうがねえよ。その爺さんに」

今川篤行担当となっている貴子たちへの仲間の視線が、日増しに何となく恨めしそうな、微妙に非難がましい、含みのあるものに変わってきた。しっかりしてくれよ。何とかならねえのか。それは、貴子たちだって分かっている。焦《あせ》ってもいた。だが、相手の記憶が半分以上、霧の彼方《かなた》に閉ざされてしまっているのだから、どうすることも出来なかった。

「だから、何回来てもらったって一緒ですって、言ってるじゃないですか」

こうなると、頼みの綱は今川季子しかいない。だが、こちらも貸家関係の書類については賃貸借契約書も入居申込書も、帳簿などの類も一切見つからなかったと言い張るばかりだった。

「そうじゃないかとは思ってたんです、最初から。だって、あそこを建て替えようって決まってからも、土地の権利証とか何とか、色々と探し出しましたけど、そんなものは何一つ、見かけませんでしたから」

徘徊《はいかい》騒動の直後には、「この前はどうも」などと頭も下げられたが、二度三度と訪ねるうちに、次第にその応待も冷ややかなものになっていた。その日も、玄関口から顔を出した季子は、いかにも煩《わずら》わしそうに「またですか」と眉《まゆ》をひそめた。

「多分、もう処分したんでしょ。それで、そのことも忘れてるんですよ、父は」

「では、奥さんは、何か思い出していただけたことなんか、ないですか」

「ですから、覚えてるはずないじゃないですか。ほとんど行ったこともないんだから。第一、私、奥さんじゃありませんから」

その日の季子は、これまで以上に不機嫌だった。玉城の脇《わき》から「今川さん」と口を挟み、貴子は、出来るだけ打ち解けた表情を作った。

「確か、この前、おっしゃってませんでしたっけ。ほら、あそこの家賃は、いつもじかに持ってきてもらってたって」

「言いましたよ。けどね、私は、まるっきりノータッチ。ずっと」

「亡《な》くなったお母さんから、何かお聞きになったこととかは、いかがでしょう。大体十年から二十五年くらい昔のことなんですけれど、家を貸してた人が急に消えちゃったとか、夜逃げしたみたいだ、とか」

「知らない、知らない。ぜぇんぜん」

季子は蠅《はえ》でも追い払うように顔の前で手を振る。

「大体、二十五年前っていったら——私、もう学校出て、働いてましたもん。家のことなんかまるっきり関心もなかったし、知らないんですよ、本当」

季子は、とにかく何か知りたいのなら「うちの惚け親父《おやじ》」に聞くより他にないだろうと、わずかに皮肉っぽい表情で言った。

「あれでもねえ、時々は戻るんですから。そうすると、何かしら思い出すの。まだら惚けっていうらしいけど、本当は惚けたふりしてるだけなんじゃないかと思うくらいに、急に滔々《とうとう》と昔の話を始めること、ありますからね」

ほとんど自虐《じぎゃく》的なほどの笑みを浮かべて、だから当時のことについても、思い出す可能性がないとは言えない、と季子は言った。それから、少し考える表情のまま、彼女はエプロンのポケットから煙草《たばこ》を取り出した。

「本当のこと、言いましょうか」

あの家はねえ、と、煙草の煙を吐き出し、季子はわずかに遠くを見る目になる。

「もとはといえば、うちの父が、女を住まわせるために、建てたんですってさ」

「——そう、なんですか」

「景気がよかったんですよね、その頃は。で、調子に乗って、若い女を囲ったみたいね。錦糸町だかどこだかの、飲み屋の。だけど、何年もしないうちに、その女がべつの男のところに走ったんだそうですよ。それで、母にもバレて、まあ、ちょっとした騒ぎになって、その後は母が管理するようになったわけ」

ふん、と鼻を鳴らし、また煙草の煙を吐き出して、季子はちろりとこちらを見た。

「いつだったか、お父さん、その女のことを思い出したこともありましたからね。あるとき突然、『あのときはひどい目に遭った』とか言っちゃって。もう、こっちがビックリするくらい古いことでも、ちゃんと思い出すこと、あるのよね」

つまり、どうやら、それに期待するしかない、ということらしかった。

そうして貴子たちは、墨田区の東隣に位置する江戸川区内の老人ホームに通うことになった。ほぼ毎日、大きく蛇行している旧中川を渡り、「ハッピーライフはなみずき」という有料ホームを目指す。

「お宅さんらは」

だが、毎日のように通い続けているというのに、今川老人は貴子たちを見ると、いつも同じ台詞《せりふ》を口にした。

「お爺ちゃん、東向島の、あの貸家のことですがね」

貴子と玉城とは、毎回、初対面のように「警察から来ました」と名乗り、手帳を見せて、同じ質問を繰り返した。返答の方は、日によってまちまちだった。「知らない」

と突っぱねられる日もあれば、「もう貸さない」と言われる日もある。そうかと思えば、季子の言っていた通り、実に唐突に、淀《よど》みなく、昔の話を始めることもあった。だが、それらの昔話は、いつも貴子たちの知りたいことからは外れていた。

「あのときは、儲《もう》けたなあ」

「いやあ、笑ったの何のって。面白い女だったんだ、そいつは」

会話としては取りあえず成立しているのだが、貴子は、何だかいつでも巧みに肩透かしを喰わされているような気がしてならなかった。本当は知っているのに隠しているのではないか。実は、この老人こそが事件と関わっているのに、白《しら》を切り通すつもりなのではないか。つい、そんなことまで勘繰りたくなる日々が続いた。

翌週、本庁から投入されていた捜査員が引き揚げていった。所轄《しょかつ》の捜査員たちも、次第に他の仕事を割り振られ始めた。

「せめて、被害者の目星だけでもつけてくれよ。そうなればまた動きようもある」

結局、専従は貴子たちだけになった。糸口さえもつかめない古い事件に、そう大勢の人員を割くことは出来ないという判断からだ。

そうしてゴールデンウィークも過ぎて、そろそろ六月になろうというのに、貴子と玉城だけが、相も変わらず老人ホームに通い、現場付近の聞き込みを続けているというわけだった。昂一は、とうにイタリアに旅立っていた。

——俺なりに、覚悟を決めなきゃならないとも、思ってるしさ。こうして身軽に出かけられるのは、今度が最後かも知れないっていう気も、少し、してる。

旅立つ直前に会ったとき、昂一は言っていた。その言葉が、今も貴子の胸に刺さっている。いちばん辛《つら》いのは本人だ。それを理解して、では自分はどうするのか、どうしたいのかを、貴子自身も考えなければならない。

どちらを向いても八方ふさがりだった。

「暑いなあ、もう」

好《い》い加減にうんざりだ。ツツジだろうがサツキだろうが、そんなことは、もうどうでも良い。今となっては、どうして貴子が勤務しているこの時期に、あの貸家を壊そうなどと考えた人間がいるのかと、筋違いなことにさえ怒りの矛先が向きそうだった。

その日、久しぶりに誘われて、貴子は藪内奈苗と二人で飲むことにした。生ビールで乾杯した後、すぐに奈苗はため息をついた。

「もうさ、お手上げって感じ。お先真っ暗って、このこと」

まるで、こちらの気持ちをズバリと言い当てたような言葉だった。貴子は、いきなり何を言い出すのかと、奈苗を見た。貴子よりも二歳年上で、しかも既に警部補の彼女は、普段はさっぱりとしたつき合いやすい性格の女性だ。だが、そういえば最近、時折憂鬱《ゆううつ》そうな顔をしているのは、貴子も何となく気づいていた。

「彼が、さ」

運ばれてきた枝豆をつまみ、奈苗はまたため息をつく。

「働かないんだよね、もう」

なんだ、そんなことかと思った。だが、貴子が何か言う前に、奈苗は心底憂鬱そうな表情で、「ほんとにもう」と呟いた。

「いいもの持ってると思うんだけどねえ。いい大学出て、性格だって問題ない。他の部分じゃあ、申し分ないのにさあ」

その男を、貴子はまだ見たことはない。奈苗は、貴子が今の署に来て間もない頃から、自分の人生を「波瀾万丈《はらんばんじよう》」と言っていた。その主な要因が異性との関係にあり、中でも、彼女が「修《しゆう》ちゃん」と呼んでいる男にあることは、それから程なくして聞かされた。

「確かに、ついてない部分もあるとは思うんだ。倒産とか、上司に恵まれないとか。だけど、彼だってもう三十半ばなんだしね」

修ちゃんは、奈苗より三歳年下だという。つまり、貴子から見ても一つ若いことになる。知り合ったのは六、七年前。奈苗が三十になるかならないか、という頃だったらしい。未婚だった奈苗に対して、だが、彼の方は既に妻と、幼い二人の子どもを持っていた。その後、数年間にわたって泥沼的愛憎劇を繰り広げた末に、ようやく奈苗が修ちゃんの妻に勝利したのは、今から二年ほど前のことだそうだ。

「そりゃあね、私がこうして働いてるんだから、食うには困らないわけだけどさ」

そうなることくらい最初から分かっていたのではないかと言いたかった。聞けば、修ちゃんが離婚に際して前妻に支払った慰謝料からして、どうやら奈苗の財布から出た様子だったからだ。

「必ず返すからとは言うけど。どうだか」

離婚当時、修ちゃんはさる有名寺院だか神社だかで出している、信徒向け機関誌の編集をしていたということだ。だが、収入としては実に微々たるもので、無論、蓄えなどもなかった。二人の人生を立て直すためには、自分が慰謝料を払うより仕方がなかったのだと奈苗は笑っていたが、要するに、その時点から既に、修ちゃんという男は奈苗に負ぶさるつもりだったのではないかと貴子は考えている。

「第一、今のまんまじゃあ、いつまでたったって籍を入れることも出来やしない。うちの親だって、絶対に納得なんかしないし」

既に一緒に暮らしてはいるものの、奈苗と修ちゃんとは、いわば内縁関係のままだった。職場にも、いつまで隠し果《おお》せるか分かったものではないし、故郷の親兄弟の手前もある。だが、奈苗自身は、とにかく一日も早く、晴れて正式に夫婦になれる日を望んでいる。だが、貴子が聞いている限りでは、どうも修ちゃんの方が煮え切らず、さほど真剣に奈苗と所帯を持とうとしている様子はない印象だった。

「特に、うちの父親なんて、田舎の中学の校長だったでしょう? 頑固なんてもんじゃないわけよ。年下でバツイチで、その上フリーターですじゃあ、もう絶対に無理だわよ」

修ちゃんは、小さなタウン誌の編集に関わっていたこともあるし、広告代理店にいた時期もあるという。スーパーマーケットのチラシを作っていたという話も聞いた。要するに、一ヵ所に腰の落ち着かないタイプの、ただの怠け者なのだろう、というのが、貴子が見知らぬ男に下した判断だった。

「好い加減に大人になって、現実に目を向けてくれないかなあ」

貴子の方が、つい、ため息が出た。本当は、こういう話は聞きたくないのだ。自分がどんどん冷ややかになっていくのが分かる。理由ははっきりしていた。貴子自身が、夫の浮気が原因で離婚することになったからだ。

それなりの年月がたったから、今はもう完全に立ち直ったと思っている。吹っ切れた自信もある。それでも、たとえ潔癖すぎるといわれ、煙たがられたとしても、相手の家庭を壊すような男女の関係というものにだけは、貴子は否定的だった。百ほどの言い訳が用意されていたとしても、結果として誰かを傷つけることで成り立つ幸福など、あって良いものではないと思っている。そんなことをすれば、いつか自分も同じ目に遭う。そういうものだと、貴子は信じている。

「私だって、まだ完全に子どもを産まないって決めたわけでもないのにさあ。そんな父親じゃあ、困るじゃないねえ」

では、既に生まれている子どもたちについては、どう思うのだと言いたかった。幼い子たちから父親を奪ったのは誰なのだ。そんな男では困るというなら、別れてしまえば良いではないか。相手が同じ職場の、しかも年上の警部補でなければ、とっくに言っている。

「ねえ、オト。どう思う？」

「――どうって」

「だから、修ちゃん。どうすれば真剣に働く気になってくれるかなあって」

「――どうですかねえ」

「言葉ではね、いつもいいこと言ってくれるわけ。私のこと、誰よりも大事だし、ずっと大切にするって。でも、だったら形にして見せてよって、言いたくもなるわけよ」

「そう、言ったこと、あります？」

「まさか。機嫌悪くするに決まってるじゃない、そんなこと言ったら」

「――今、生活の方は完全に、奈苗さんが支えてる感じ、なんですか」

奈苗は返事をする代わりに、微《かす》かに眉《まゆ》を上下させ、口を尖《とが》らせただけだった。職場では決して見せることのない顔だ。

貴子から見た奈苗は、男の問題さえなければ、実に堅実で真面目《まじめ》な性格だと思うのだ。責任感も強いし、一時の感情に振り回されることもなく、常に与えられた任務をきっちりこなすことの出来る、有能な警察官だとも思う。そういう部分を信頼している。

それなのに、なぜ私生活のことになると、こうも優柔不断で愚痴っぽく、さらに愚かしくなってしまうのだろう。その上、ある意味で恥とも言える部分を平気で後輩に話してしまえる、その精神構造も、貴子には理解不能だ。同性のよしみ？　または、同じタイプだと思われたとか？　冗談ではなかった。

　――要するに女、なんだろうな。

　以前、昴一に話して聞かせたときのことを思い出す。あのとき貴子が、私だって女なんだけど、と言い返したら、彼は伸びやかな声で笑っていた。ああ、声だけでも聞きたい。

「まあね、そのうち絶対にものにして見せるって言ってるから、それに期待するしか、ないのかも知れないんだけど」

「ものにするって？」

　すると奈苗は、「さあ」と肩をすくめた。

「考えてることがあるんだって。いつか、あっと驚かしてやるって、言ってくれてる」

　まただ。言ってくれてる。

　奈苗はいつもそういう表現をする。修ちゃんが食べてくれる。先に寝ていてくれる。一緒に出かけてくれる。買い物をしておいてくれた――何を有り難がっているのだろうか。単なるヒモのような男に。

「それで、オトの方は？　どうなのよ」

言いたいことだけ言うと、奈苗は幾分さっぱりした表情に戻り、話の矛先をこちらに向けてきた。貴子は曖昧《あいまい》に微笑《ほほえ》みながら、さり気なく視線をそらした。奈苗の背負っている「波瀾万丈」が、ここまで七面倒くさい泥沼劇だったとは思いもしなかった頃に、相手に尋ねられるまま、つい自分がバツイチであることと、昴一の存在を打ち明けてしまったことを、今は後悔している。心から。

「例の椅子《いす》職人は、元気なの」

「——元気です」

「会ってる？」

「今、イタリアだから」

またなの、と奈苗は驚いた顔になった。そして、貴子がつい、今度ばかりは心配なのだと、昴一の病気のことを言ってしまいたい小さな誘惑に駆られそうになっている間に「いいよねえ」とため息混じりの呟《つぶや》きを洩《も》らした。

「手に職があるっていうのは。それだけで、外国まで行けちゃうんだ」

奈苗は、面白くなさそうな表情で「うちもさ」と言葉を続けた。

「いっそ職人なら、よかったな。いくらいい大学出てたって、要するに学者タイプなんて、実生活ではイマイチなんだよね。頭脳労働者は、やっぱりひ弱だわ」

ざらりとした、嫌な感じがあった。貴子は、澄ました表情で何杯目かのチューハイを飲んでいる奈苗を横目で見ながら「悪かったわね」と言いたいのをこらえなければならなかった。こちとら学者タイプでも、机にかじりつくタイプでもなくて。身体《からだ》を使って、汗を流す仕事で。ああ、だから、互いの私生活に触れるのは嫌なのだ。

〈——と、いうわけで、面白くも何ともない話に、終電近くまでつき合わされちゃった。

仕事がはかどらない上に、これだもの。このつまらない毎日は、いつまで続くんだろう。そっちは、どう？　一人で思いっきり羽根を伸ばしてるんでしょうね。イタリア女とは知り合った？　べつに、心配なんかしてないけど。本当。絶対。

ところで、目の調子は？　お節介でも、そっちは心配してます〉

その晩、貴子が半ば八つ当たり気味に送ったメールに、やっと返事が来たのは、六月に入ってからのことだ。あまりに返事が遅いから、何かあったのではないか、急に具合が悪くなって、まさか入院でもしているのではないかとヤキモキしていた矢先だった。

〈知り合いに誘われて、南イタリアの田舎を回ってた。インターネットなんか、まるで使えない安ホテルばっかりなのには結構、素朴に驚いた。と、いうわけで、メールチェックも出来なかった。許せよな。

埃《ほこり》っぽい東京で汗だくになりながら、おまけにツマラン話まで聞かされてるとは、ご同情申し上げる。向こうは貴子以外、話せる相手がいないんだろう。聞き役の方が幸せだ。

俺の方は、毎日、いろんな色とイメージを頭に焼きつけつつ、新しい展開を探ってるってところ。目は安定してる。ただし、ずっとサングラス。しかも帽子で過ごしてるから、額の上半分と目の周り、目尻《めじり》からこめかみにかけての一本線といった具合に、日焼けで模様が出来てる。腕も、脚も同様。これで髭《ひげ》を剃《そ》ったら、もっとだろう。夏が終わる頃には、完全に入れ墨みたいに染《し》み込んでると思う。乞《こ》うご期待〉

夏が終わる頃？　そんな頃まで帰ってこないつもりなのか。

だが、昴一なりに覚悟を決めようとしている。自分の中で整理をつけようとしていることが分かる。ある程度の時間がかかるのは、仕方がないのかも知れない。彼は今、自分の人生そのものの転換点に立とうとしているのだろう。

――聞き役の方が幸せ。

確かに、学者タイプのヒモを持つよりは、ずっとましだ。つまり、奈苗よりは、ずっと恵まれている。そう思うことにしようと自分に言い聞かせた。

六月に入って鬱陶《うっとう》しい天気が続くと思ったら、二週目には、関東地方は梅雨に入ったとの発表があった。家々の軒先や路地の片隅などに、鮮やかな青や、柔らかいピンク色の紫陽花《あじさい》の花が目立つようになった。普段の持ち物にタオルハンカチと折りたたみ傘が増え、ジャケットの下のシャツブラウスは半袖《はんそで》にした。それでも、貴子の日常は変わらなかった。

その日も、貴子は玉城と共に「ハッピーライフはなみずき」に今川篤行を訪ねた。日によって、老人は食堂にいたり、レクリエーションルームにいたりするのだが、今日は、二階の居室にいた。広くはないものの、簡素で清潔に出来ている部屋だ。ベッドの他に小さなテーブルやサイドボードなどが置かれており、テレビや電気ポットもある。

「こんにちはぁ、今川のおじいちゃん」

入口の戸が開け放たれたままだったから、貴子たちは「お邪魔しまぁす」と、必要以上に明るい声を出しながら、その部屋に足を踏み入れた。老人はベッドの縁に腰掛けて、窓の外を眺めているらしかった。中途半端《はんぱ》に薄暗い、灰色の風景画のような光景だった。

「また降りそうですね。やっぱり梅雨に入っただけのこと、あるなあ」

玉城がわずかに腰を屈《かが》めて話しかける。すると今川老人は、振り返るなり「当たり前じゃないか」と不機嫌そうな顔になった。

「夏の前には、梅雨が来るって相場が決まってんだから。昔っから」

「まあ、そうですけど。でも――」

「大体、何だっていうんだよ。年がら年中、顔を出すけど。俺は、こう見えても忙しいんだ」

おや、と思った。つい昨日、今川老人は「お宅さんらは」と、いつもの台詞《せりふ》を口にしたのだ。どなたさん、と。このところは、ずっとそんな調子だった。それが、たった一日の間に、老人の頭の中で何が起こったのだろうか。貴子は思わず玉城と顔を見合わせて、自分も老人の前に腰を屈めた。

「私のこと、覚えてます？」

「当たり前だ。婦警だろう、婦警」

「だったら、東向島の、あの家のことは？」

「あの家の？　何だって？」

「ほら、昨日も聞いたじゃないですか」

するると老人は「ああ」というように頷《うなず》く。

「若夫婦の話か」

思わず心臓が高鳴りそうになった。ついに霧が晴れたのか。いよいよ、何かを語ってくれる時が来たのだろうか。

「赤ん坊が生まれそうな夫婦っていったら」

今川老人はふと顎《あご》を上げる。その目が、すっと流れて開け放った戸の方に向いた。つられるように、貴子も振り返って廊下の方を見た。ちょうど部屋の外をピンクのユニフォームを着た女性が通り過ぎていくのが見えた。次の瞬間だった。今川老人が、「あっ」と小さな声を出した。

「痛いっ！　あいたたたたた！」

あまりに突然のことで、何が起こったのか、まるで分からなかった。振り返ると、老人は身体を捻《ひね》ってベッドに手をついている。

「どうしました？　今川さんっ」

「大丈夫ですか、どこが痛いんですかっ」

玉城も慌《あわ》てた様子で声をかけている。老人は顔をしかめて「痛い痛い」と叫び続けるばかりだ。誰か呼ばなくてはと、貴子が踵《きびす》を返しかけたときだった。

「何だよ。どしたんだ、爺《じい》ちゃん」

野太い声が響いた。見るからにがっちりした体格の若い男が、のしのしと部屋に入ってくる。その無愛想で厳《いか》つい顔だけは貴子たちも何度か見て知っている、このホームのスタッフだ。

「痛てえんだよ、痛てえんだ。腰がよぉ」

「まじで？　いつから」

「今だよ、今！」

すると若い男は、ふうんと、うなずきながら貴子たちを見る。暗に責められているような気がして、貴子は思わず首を傾《かし》げた。

「薬貼《は》ろうか？　それとも、病院に行くか？」

すると今川老人はイヤイヤをするように頭を振って、「広瀬《ひろせ》さん」と言った。

「呼んでくれよ。さすってもらうから」

「何で広瀬さんなんだよ。さするんなら、俺がさすってやるって。ほれ」

「おめえなんかじゃ、駄目なんだよっ！　広瀬さんじゃなきゃあ！」

意外なほどの激しい口調だった。だが、若い男の方は、特段怒る様子も見せず「駄目だってば」と笑っている。

「まじ、エロいなあ、じいちゃんは。駄目だって言ってんだろうが」

「うるせえっ！　若造がっ！」

いつの間にか背筋をぴんと伸ばし、今川老人は、若い男を睨《にら》みつけていた。結局、その後も老人の機嫌が直ることはなく、また、記憶も霧の彼方《かなた》に消えたままだった。

4

ほろ酔い気分で家に帰り着き、台所に続くドアを開けるなり、こもった熱気と共に不快な臭《にお》いが鼻をついた。ああ、畜生、またか。滝沢保《たきざわたもつ》は、闇《やみ》の中で小さく舌打ちをした。

「腐ってやがる。また何か……」

これだから、今ごろの季節は嫌なのだ。手探りで電気のスイッチを入れ、一応は片づいて見える流しの周辺を見回しながら、腕にかけていた上着を椅子《いす》の背に放り投げる。既に緩んでいるネクタイをさらに緩めつつ、臭いの元を探ると、悪臭は明らかに流し台方向から発せられていた。

「しょうがねぇなぁ、もう」

流しの片隅の三角コーナーをのぞき込んで、滝沢は改めて舌打ちをした。ここは、いつも空っぽにしておけと、口を酸《す》っぱくして言っている。それなのに、ラーメンの残りカスやキュウリの切れっ端、マカロニらしきものなどが溜《た》まったままになっていた。さらに、この黒い物体は何だ。少し目を凝らして眺めて、どうやら元は赤身のマグロだったらしいと分かる。とにかく渾然《こんぜん》一体となった生ゴミが、腐敗に向かって驀《ばく》進《しん》している。

その場でワイシャツを袖《そで》まくりして、顔をしかめながら三角コーナーを持ち上げると、既に白っぽい粘液状の何かがステンレスの流しにも溶け出していた。まったく。何度言えば分かるのだろうか。どれほど注意しても、性懲《しょうこ》りもなくこういう真似《まね》をするのは、倅《せがれ》に違いなかった。

その上、てめえが使った灰皿まで、山盛りの吸い殻と共に流しに置いてある。火の始末だけは責任を持てと言ったら、取りあえずここまで運んでくるようにはなったものの、では吸い殻の始末は誰にさせるつもりなのだ。

「ったく。馬鹿《ばか》か、あいつは」

手早く生ゴミと吸い殻を捨てて、ザアザアと勢いよく水を流しながら、滝沢は冷蔵庫の方に目をやった。伝言板代わりのマグネット式ホワイトボードが貼《は》りつけてあるからだ。

【真奈美・合宿（7／6まで）
緊急の場合はケータイを！（できればメールで!!）
冷蔵庫の中のもの、賞味期限に注意！
プリンと牛乳はもうすぐ切れるからねっ！
謙・バイト！　遅番と早番がある！　寝てても起こすな！】

数日前から変わっていない内容を眺めながら、滝沢は、ふん、と鼻を鳴らした。娘の戻りは明後日か。それにしても、何とまあ「！」の多い伝言だ。そんなに声を大にして言いたいことがあるのなら、親父《おやじ》に直接、話せば良いではないか。

シンク全体を洗い終えると、滝沢はようやくエアコンのスイッチを入れることを思い出した。さらにワイシャツのボタンを外しながら、改めて冷蔵庫の前に立った。やはりマグネットで貼りついているボードマーカーを冷蔵庫から引き剝《は》がし、腰を屈《かが》めてホワイトボードに向かう。

【生ゴミが腐っている！　自分が出したゴミは、自分で始末するように!!　父より】

マーカーのキャップをしめながら、と、いうことは、いま現在、倅は家にいるのだろうかと思った。だが、寝ているところを起こしでもして、また大声を上げられたのではかなわない。今夜のところは放っておこう。

ひと頃ほどではないにせよ、すぐに感情を爆発させるタイプの倅とは、実に些細《ささい》なことで衝突しやすい。滝沢の方でも、もう少し泰然と構えなければいけないと自分に言い聞かせているのだが、どういうわけだか二人の娘たちと比べても、ぎくしゃくしてしまうのだ。ヤツは、滝沢よりも別れた女房の方に似ていた。面差しもそうだし、日頃は内向的な性格も、どこか棘《とげ》のある物言いも、ある意味でそっくりだ。そう思うから余計に、こちらとしてもつい感情的になるのだろうか。

まあ、今日のところは、こちらも気分良く帰ってきたのだ。ゴミのことはさておき、あとはさっさとシャワーでも浴びて、寝てしまう方が良さそうだった。もしかすると倅の方だって、意外にキツいアルバイトをしているのかも知れない。

それにしても暑い一日だった。このところ毎日のように同じことを言っているが、もう、たまったものではない。梅雨明け前から、こうも不快な日が続いているのだから、少しくらい頭のネジが緩んでくるヤツがいたって不思議ではないと思う。その証拠に、今日はかなり忙しい一日だった。

まず、朝っぱらから通り魔が出た。被害者は女子中学生。可哀相《かわいそう》に、登校途中にすれ違いざまにカッターで顔を切りつけられたのだ。怪我《けが》そのものは大したことはなかったが、怯《おび》えて、ひどく泣いていた。被疑者は逃走中。自転車に乗った若い男だという。

昼前には、今度はひったくり。銀行帰りの老婆《ろうば》が突き飛ばされて手提げ袋を奪われた。被害者は骨折。被害額は二万円程度。こちらも犯人は若い男らしいが、目撃者もおらず、手がかりもない。

午後には愛人の連れ子を虐待《ぎゃくたい》した容疑で、二十二歳の無職の男が逮捕された。赤ん坊が泣きやまないことに腹が立ったと、それこそ倅と似たような年格好の若造は、顎《あご》を突き出して息巻いていた。ちゃんと言って聞かせようとしたのに、だと。一歳半の赤ん坊に。阿呆《あほ》か。赤ん坊の生命に別状がないことが、せめてもの幸いだ。

まあ、それでも最後には、こうして生ビールなど引っかけて帰ってこられたのだから、まずまずの一日だった。汗を流そうと浴室に向かい、手前の洗面所に置かれた洗濯機をのぞき込んで、だが、滝沢はまた舌打ちをしなければならなかった。

「ここもかよ」

明らかに倅のものと分かる洗濯物が、どっさり入っていた。野郎、甘ったれやがって。長女が嫁いで以来、しっかり者の末娘が、文句を言いながらも家のこと一切をやってきたから、こういうことになるのだ。

だが、だからといって倅の汚れ物を放り出して、自分の衣類だけ洗うような真似も、出来るはずがなかった。結局、今日一日分の埃《ほこり》と汗を吸った下着やワイシャツの類《たぐい》を、倅の汚れ物の上に放り込みながら、滝沢は「しょうがねえなあ」と呟《つぶや》いた。ふと、若い頃のことを思い出す。そういえば結婚して間もない頃にも、やはり滝沢はこうして深夜に洗濯機を回していた。

当時は古びた官舎住まいで、二槽式の洗濯機はベランダに置いていた。寒い季節など、時として冷たい夜風に煙草《たばこ》の煙を流しながら、低くうなるように回転する洗濯槽を眺めていたものだ。何をするにも要領が悪くて手の遅い女房に文句を言っている間に、自分で動いた方が早いから、張り込み先から戻ってからでも、そんなことをしていた。あの頃に比べれば、洗濯機は家の中にあるのだし、スイッチ一つで乾燥までやってくれる。第一、今は官舎住まいからも解放されて、曲がりなりにも自分のマンションに住んでいるのだから、これで文句を言っては罰が当たるというものだろう。だが、それにしても息子はあまりにも何もしなさ過ぎる。

【洗濯物をためない！　自分で洗うべし！】

シャワーを浴びた後、滝沢はホワイトボードに新たな伝言をつけ加えた。ひと言書くだけでも、少しは苛立《いらだ》ちが収まるというものだ。それから、よく冷えた缶チューハイを片手に、日付が変わる頃のニュースを眺めて過ごす。エアコンの風が、洗いっぱなしの髪を撫《な》でていく。自分でも大分減ってきたことは分かっているし、風呂《ふろ》に入るたびに、ある種の情けなさは感じている。だが、簡単に乾くという点では面倒がなくて、そう悪いものでもなかった。無論、頭にかいた汗が、すぐに顔に伝い落ちてくるという煩《わずら》わしさもあるが。

チューハイを半分も飲まないうちに、もう眠気が忍び寄ってきた。ソファの背もたれに身体《からだ》を預け、顔を天井に向けて、滝沢は声にならない呻《うめ》きを洩《も》らした。

ああ、気持ちいいな。

眠くなったら、そのまま眠ってしまっても構わないというのは、まさしく極楽だ。しかも、天変地異でも起こらない限り、朝まで安眠を約束されている贅沢《ぜいたく》というものを、このところの滝沢は身に染《し》みて感じている。本来なら腹立たしい生ゴミや洗濯物のことだって、さほど苛つかずにいられるのも、そのお蔭《かげ》かも知れなかった。この春までの毎日が続いていたら、今ほど寛容でいられたかどうか分からない。

ああ、駄目だ、眠いな。寝るか。

テレビの音が子守歌に聞こえてきた。本当は、このままソファで眠ってしまいたいところだが、やはり布団《ふとん》が恋しい。よろよろと寝室に向かうと、押入れから布団を引きずり出し、そのまま大の字にひっくり返る。思わず「ああ」と声が出た。布団からはみ出したかかとが青畳に触れる。それだけで嬉《うれ》しかった。

春までは、こんな風に横になっても、頭のどこかで緊張感が途切れるということがなかった。酒を飲んでいても同様だ。いつ、どういう状況で召集がかかるか分からない。そういう部署に置かれていたのだから、仕方がなかった。

刑事の中でも、特に企業恐喝や誘拐、監禁、爆破、ハイジャックなどといった特殊性および緊急性の高い事件の捜査に当たるのが、本庁捜査一課の特殊班である。この春まで、滝沢はその特殊班に所属していた。若い頃も一度、配属されたことのある部署ではあったが、はっきりいって四十も半ばを過ぎてからの任務は、過酷以外の何ものでもなかった。その証拠に、管理職を除けば他のメンバーは大半が二、三十代の連中なのだ。少しくらい、こちらに経験があったとしたって、まず体力でかなわない。特殊班に召集がかかるような事件は、迅速かつ極秘裏に処理しなければならないものと相場が決まっている。つまり、班員たちは二十四時間「スタンバイ」の状態でいなければならない。さらに、ひとたび任務につけば、常に「生命」を意識する必要がある。自分のものであろうと、他人の生命であろうと。

その上、実際の事件が起きていないときにも訓練が欠かせない。様々な設定で、時として犯人役に回って、仲間との間で攻防を繰り返す。これがまた、疲れるのだ。少しでも甘えが見えると、すぐに上からどやされる。要するに、自分の気持ちを極限まで追いつめる訓練を繰り返さなければならない。

そんな日々を二年以上も過ごしてきた。だから、やっとの思いで警部補試験に受かって異動の辞令を受けたときには、まさしく寿命が延びた思いだった。こうなったら、もう当分の間は、死ぬの生きるのという緊張感などからは遠ざかって、のんびりさせてもらいたい。いや、いっそのこと定年まで、その辺りの所轄《しょかつ》署をぐるぐる回してもらっても構わないとさえ、思っているところだ。

「そうだそうだ。楽ちんがいちばんだ」

大きく深呼吸をして目をつぶる。開けたままの引き戸の向こうから、スイッチを切り忘れたエアコンの冷気が、すうっと流れてくるのを感じた。いけねえ、と思ったが、それはそれで気持ちが良かった。

はっと目覚めた時には、カーテンの向こうが明るくなっていた。枕元《まくらもと》を探って腕時計を見ると、ちょうど六時になろうとしている。我ながら大したものだ。目覚まし時計も何も使わず、毎日ほぼ同じ時刻に目が覚める。

【エアコンのスイッチ切り忘れ！　オレのチューハイ飲んだら、買いたしといて！】

起き抜けの水でも飲もうと台所に行くと、冷蔵庫のホワイトボードに目がいった。滝沢は思わず小さく笑ってしまった。あれは、倅の缶チューハイだったか。一丁前に。

さらに洗面所に行くと、昨夜の洗濯物のうち、滝沢の分だけが脇《わき》の洗濯カゴにのせられていた。しかもワイシャツは、きちんとハンガーに掛けられている。滝沢は「ふうん」と小さく呟きながら、ヤツは一体何時に帰ってきたのだろうかと考えた。洗濯機が乾燥まで終えていたのだとすると、もう明け方に近かったのではないだろうか。一体、倅はどんなアルバイトをしているのだろう。

【もろもろ了解　父より】

言いたいことも、聞きたいことも、山ほどあるような気がしたが、結局、出がけにそれだけ書いて家を出た。昨日までとは打って変わって梅雨空が戻ってきたようだ。気温は幾分下がっていたが、その代わりに湿った空気が身体にまとわりついてくる。駅まで歩くだけで、もうじっとりと汗が滲《にじ》んだ。

現在、滝沢は都内葛飾《かつしか》区の金町警察署に勤務している。埼玉と千葉の両県境に接する、東京でも北東部の隅っこだ。葛飾には、都内では珍しく小松菜などの栽培農家が残っており、一方で刷毛《はけ》やタワシ、竹工芸などといった伝統産業も多い。基本的にはさほど物騒な事件の起こるところではなく、せいぜいが繁華街周辺などでのひったくり程度という、落ち着いた地域だ。要するに、滝沢が骨休めするには、もってこいの職場かも知れなかった。昨日のように忙しい一日になること自体が、珍しかった。

「滝さん、ちょっと」

午前中一杯は、昨日の幼児虐待男の取り調べで終わった。出来るだけ優しい口調で話してやったから、相手はかなり油断している様子だ。では午後からは、そろそろ本腰を入れて締め上げてやろうかと腰を上げかけたとき、白髪頭《しらがあたま》の課長が滝沢に手招きをした。歩み寄ると、目の前に数枚の紙が差し出される。「隅田川東署にて刑事部長」という文字が飛び込んできた。左肩の部分に至急という○で囲んだ文字も見える。滝沢たちが「電報」と呼んでいる通達文書だ。

「何か、ありましたか」

警視庁管内では関係部署および各警察署に広く連絡すべき案件が発生した場合、一斉にこの電報が発信される。これは、その発信者が刑事部長であり、隅田川東署から発信されたことを示していた。滝沢はわずかに顎を引いてファックスに目を落とした。最近、老眼が少しずつ進んでいる。

「『隅田公園内における老人殺害事件』特別捜査本部の設置について」

見出しに続いて、事件の概要が記されていた。発生日時は今日未明から明け方にかけて、被害者は今川篤行。八十二歳。全身に打撲痕《だぼくこん》が認められる。容疑者については不詳。

「八十二で撲殺ですか。可哀相になあ」

「だろう？　血が騒がないか。なあ」

わずかに探るような、陰険そうな笑みを浮かべている課長と目が合った。最初に会ったときから、何となくそりが合わない感じがしたのだ。どうやら以心伝心というところか。

「——特別捜査本部の設置に伴い、各署一名の特別捜査員を、五日午後二時三十分各自携帯電話持参の上、隅田川東署五階講堂に派遣されたい」

電報を隅々まで読んでから、滝沢は腕時計に目を落とした。既に一時半近い。

「あんまり退屈させるのも申し訳ないと思ってたところなんだ。優秀な捜査官をさ」

いかにも嬉しそうな表情の課長に向かって、滝沢も歯をむき出すような、わざとらしい笑顔で「そりゃあ、そりゃあ」と応《こた》えるしかなかった。畜生。てめえはのんべんだらりと定年を迎えるつもりのくせに、他人《ひと》のことは少しも楽させずに、徹底的にこき使うつもりかよ、と言いたかった。

慌《あわ》ただしく金町署を後にして電車を乗り継ぎ、隅田川東署の目と鼻の先まで来たところで降り始めた。ぽつ、ぽつ、と頭に感じたと思ったら、次の瞬間には本格的に大粒の雨が落ちてきて、瞬《またた》く間に歩道の色を濃くしていく。

「何だよ、まいったな」

少しの間は濡《ぬ》れるに任せて歩いたが、ついにたまらなくなって滝沢は走り出した。これでも特殊班時代に、多少なりとも体重を落としたつもりなのだが、まだまだ十分にせり出している腹は、全速力で走るには少しばかり重すぎる。あっという間に息が切れた。

懸命に走ったお蔭もあって、少しは早く署に着くことが出来たが、それでも二時二十分を回ってしまった。雨と汗とで、もう全身が濡れている。畜生。あと五分早く、向こうを出れば良かったのだ。もしかすると課長の野郎、わざとギリギリまで声をかけずにいたのではないかと、つい、そんなことまで考えながらエレベーターに乗り込む。講堂の入り口に設けられた受付の傍で、何とか息を整えながら、自分の名刺に自宅の住所や電話番号、携帯電話番号などを書き込んでいると、ぽん、と背中を叩《たた》かれた。

「大丈夫かい、はあはあ言っちゃって」

以前、同じ署にいたことのある國島《くにしま》だった。片手に吸いかけの煙草を持って、彼はにやにやと笑っている。

「すぐそこまで来たところで、ざあっと来やがってさ」

滝沢は、ポケットから引っ張り出したタオルハンカチで上着の肩や袖《そで》の辺りを叩きながら「ついてねぇよ」と口元を歪《ゆが》めた。國島は「そりゃあそりゃあ」と気の毒そうな顔をする。

「頭もさ、ちょっと直した方がいいんじゃねぇかな」

滝沢は「頭?」と自分の頭に手をやりかけ、はっと気づいた。そういえば最近、量が減ってきたうえにコシがなくなって、この髪が、少しのことで乱れるのだ。

「おっと」

ごまかす笑いを浮かべ、素早く頭頂部のあたりを撫でつける。もう少し髪が減ったら、思い切って坊主《ぼうず》にした方が良いのではないかと末娘が言っていたのを思い出した。――未練がましく、ちょろちょろしたのが頭に張りついてる方が、ずっと嫌らしい感じがするんだから。

まったく。言いにくいことをズバズバと言う娘だ。薄くなってきたのは、まだ天辺《てっぺん》だけなのだし、第一、もしも自分の風貌《ふうぼう》で坊主頭になどなったら、それこそ暴力団担当《マルボウ》のデカか、またはマルボウそのもののようになってしまうではないか。年頃の娘として、親父《おやじ》がそれで良いのか。

「しばらく見ない間に、かなり進んだんじゃないの、その頭」

「会ってすぐ言うか、そういうこと」

國島を睨《にら》みつける真似《まね》をしながら、取りあえず名刺を受付に提出する。この名刺をもとに、二人ひと組の班が作られる仕組みだ。せっかく久しぶりに昔の仲間と会ったのだから、どうせなら國島と組ませてもらいたいものだった。同年代だし、互いに気心も知れている。

講堂には既に、召集された大半の捜査員が集まっていた。空いている席もほとんどないくらいだ。結局、一番後ろの列に「どっこい」と声を洩《も》らしながら腰を下ろした。改めて、額の汗や雨に濡れた上着を一緒くたに拭《ふ》きながら、辺りを見回す。それにしても最近の若い刑事は、本当に背の高い奴《やつ》らが増えた。とてもではないが、こんな席からではひな壇さえも見えそうになかった。

「特殊班からは、いつ出たんだい」

一度確保した席から、わざわざ移動してきたらしい國島が、隣の空席に腰掛けた。

滝沢は「この春」と笑って見せた。

「もう勘弁してもらったよ。俺だって来年で五十だぜ。身体《からだ》がもたねえって」

「で、今は」

「ここの、わりと傍なんだ、金町」

「金町署か。あそこは今、課長は誰だっけ」

滝沢はついさっき、陰険そうな笑いを浮かべながら自分をこの捜査本部に送り出した課長の名前を口にした。

「これが嫌らしい野郎でな。さっきだって、ギリギリまで俺にここに行けなんて言いやがらねえ。何が気に入らねぇんだか知らねぇけど、ひと言ひと言に棘《とげ》があって」

実につまらん男だと、吐き捨てるように言ったとき、周囲のざわめきが止《や》んだ。正面のひな壇に、刑事部長を始めとして隅田川東署長、捜査一課長などのお歴々が並んでいた。

午後二時三十分、刑事部長の簡単な挨拶《あいさつ》から、捜査会議が始まった。ついで、今回の捜査本部の「戒名」が決められる。今後マスコミに対しても、また警察署内においても、この事件を扱う場合に語られる、いわゆる看板である。

「隅田公園内における老人殴打《おうだ》殺害事件」

まあ、そんなものだろう。可もなし不可もなしというのが戒名の相場だ。

続いて捜査本部の庶務的存在であるデスク要員が決められ、その後、捜査一課長が事件の概要を説明し始める。

殺害されたのは八十二歳の老人。全身に二十ヵ所近くの殴打痕。そこまでは既に頭に刻んでいる。さらに、死亡推定時刻が今日未明から明け方にかけてであること、死体発見現場が、そのまま犯行現場であると思われること、直接の死因は全身の打撲による外傷性ショック死であることなどが告げられた。

「――凶器などは未《いま》だ発見されておらず、また所持品などについても不明――この、不明という点だが、被害者《ガイシャ》はいわゆる認知症の症状を持つ老人であり、徘徊癖《はいかい》があった。今回も家族が目を離した隙《すき》にいなくなっており、そのため、所持品などについては不明ということである」

ガイシャは、これまでにも複数回、家族から捜索要請がなされたことがある。現住所は江戸川区内の有料老人ホームとなっているが、自宅は墨田区内にあって、一、二ヵ月に一度の割合で帰宅していた。その自宅には、現在ガイシャの長女と孫一名とが居住している。その長女の話によれば、今回も三日前から、本人の希望で一時帰宅をしていたという。

昨日は午後四時過ぎ、長女が外出先から戻ったところ、姿が見えなくなっていた。自分の父親が徘徊の症状を呈するようになってから、娘は金品などを持つことを許さなかった。唯一《ゆいいつ》、本人の氏名と電話番号などを書いた札および一万円札一枚とを、守り袋のようなものに入れて首からかけさせていたというが、その袋は遺体と一緒に発見されている。その他の所持品などについては、ガイシャが自分の意志で何か持ち出していたとすれば、分からない。現時点では、金銭、預金通帳などが持ち出された形跡はないらしい。

「通信司令本部の記録によれば、長女からの一一〇番入電は昨日の午後四時二十七分。その二分後に、当署および隣接署管内に手配の指令が出されている」

だが今度という今度は、無事発見とは、ならなかったということだ。滝沢は広げた刑事手帳に、自分だけに読み取れる文字で「もの盗《と》り」「怨恨《えんこん》」「行きずり」「おやじ狩り」などと書き殴りながら密《ひそ》かにため息をついた。

金品目的でないなら、恨みか。だが、もしもガイシャのことを知っている人物なら、老人が呆《ぼ》け始めていることも知っていただろう。だとすると、たとえ恨みを抱いていたとしても、殺害にまでは至らないような気がする。わけが分からなくなり始めている人間を相手に恨みを晴らせるものではないと考えるのではないだろうか。それなら、酒の勢いか何かで犯行に及んだか。または、純然たる面白半分、つまり青少年などによる犯行の可能性も出てくるだろうか——あれこれ考えている間に「さらに」という声が響いた。

「このガイシャだが、徘徊癖があったという以外の理由でも、この数カ月間、当署の捜査員が頻繁に接触してきた人物だった」

講堂内の空気が微妙に動いた。滝沢も首を左右に傾けて、人々の頭の隙間から前方を見ようとした。ひな壇に肘《ひじ》をつき、マイクを握る捜査一課長が小さく見えた。

「さる四月、当署管内に所在する住宅解体現場より、成人男女各一体および胎児または嬰児《えいじ》一体の、計三体におよぶ白骨死体が掘り出されたという事案は、記憶に新しいところである。現場の状況および鑑定の結果から、殺人および死体遺棄事件であると断定されている。ただし、死後相当の年月が経過しているとみられ、死体遺棄に関しては既に公訴時効が成立していると考えられる。未だ、被害者の身元特定にも至っていないことから、捜査本部設置にまで至らず、当署刑事課においては現在もなお専従捜査員を置いて捜査を続行中であるわけだが」

そういえば、そんなことがあった。ちょうど滝沢が金町署に異動になって、やれ送別会だ、歓迎会だと、何かと慌ただしく過ごしていた頃だ。あのヤマは、まだ片づいていなかったのか。

「その白骨死体が発見された土地および住宅の所有者が、今回のガイシャだった」

ほう、とも、ふうん、ともつかない、声にならない声のようなものが辺りに広がった。滝沢も、わずかに顎《あご》を上げて、改めてひな壇の方を見た。と、いうことは、単に哀れな徘徊老人が、思いもよらぬアクシデントに見舞われて、その結果、死亡した、という線とは限らないということか。ことは、もっと複雑なのだろうか。

「ただし、ガイシャに認知症という特殊な事情があったため、聴取そのものも難航していた。その結果、未だ解決に至っていないわけであるが、したがって当本部においては、それらの事情も視野に入れ、多角的な捜査活動が求められる」

若い刑事が、捜査要領を書き出した紙を持ってきて、ホワイトボードに留めていく。滝沢は、ふと、自宅の冷蔵庫に貼《は》りつけられたホワイトボードを思い出した。

【父・事件。当分多忙。必要事項はここに書き、また急用の場合は携帯に連絡を！（メールは受信可・返信不可）】

そういう生活には慣れている子どもたちだった。ましてや、もう幼いわけでもない。父親が留守なら留守で、彼らのペースで暮らしていくことだろう。かつてのように、飯をどうしようか、腹が痛いと言っていたのは治ったか、学校のことで何か頼まれていたのではなかったか、などと、常に追い立てられるような気分で過ごさなければならないことは、なくなった。今となっては、気が楽になったような、少しばかり味気ないような気分だ。

・目撃者その他参考人
・現場周辺捜査
　地取り
　足取り
　聞き込み
・鑑捜査
　土地鑑
　敷鑑
・動態調査

スッキリした捜査要領だ。なかなか良い。

ここでも滝沢は、改めて自分が特殊班から解放されたことを実感した。何しろ、特殊班が扱うような事件の捜査要領となると、こんなものとは比べものにならないくらいに複雑かつ大規模なものになるからだ。

たとえば身代金《みのしろきん》目的に子どもを誘拐するような事件の場合なら、交番から少年係までを巻きこんで、情勢判断、必要資機材の調達と運用、逆探知などの手配、被害者対策、張り込み、尾行、身代金受け渡し関連などなど、じつに事細かく分かれた捜査要領とマニュアルとが出来上がっている。人質立てこもり事件も同様。ハイジャックや企業恐喝もだ。

それらに比べると、何ともシンプルではないか。どちらが簡単とか、重要とかを決められる問題ではないが、それでもやはり「死ぬかも知れない」被害者を扱うのと、既に死亡してしまった被害者を扱うのとでは、一刻を争うような緊迫感そのものが違っていることは否《いな》めない。少なくとも、事件と向き合う場合の精神的抑圧の度合いから見れば、こちらの方が、ずっと楽だ。

「意外と面倒なことになったりしてな」

隣の席から國島が身体を傾けて話しかけてきた。滝沢は低くうなるような声で、それに応《こた》えた。そろそろニコチンが切れてきた。

「まあ、フタを開けてみんことにはな」

気を紛らすつもりもあって、今度は自分の方から身体を倒す。実際、今日明日中に、あっさり犯人《ホシ》が割れそうな気も、しなくはないのだ。その一方では國島の言葉通り、妙に厄介なことになりそうな雰囲気もあった。第一、未だに身元不明だという白骨死体たちと、どうやら無縁でないというところが、何とも嫌な感じではないか。

「では、これから班組および捜査分担を発表する。順次、氏名を読み上げていくから、それぞれの相方を確認した上、早速捜査活動に取りかかってほしい。今日の上がり時刻は、二一時とする。その後、二回目の捜査会議を始める予定である。以上、解散」

さて、お待ちかねの抽選会だ。果たしてデスク要員は、滝沢を誰と組み合わせてくれただろうか。基本的には土地勘のある所轄《しょかつ》署の刑事と本部捜査員、新人とベテランなどが組まされるのが定石だ。滝沢は乱暴な文字を書き殴った刑事手帳を内ポケットにしまい込み、パイプ椅子《いす》の背もたれに体重を預けて周囲を見回した。刑事たちが、呼ばれた順に立ち上がっていく。

「――次、敷鑑捜査担当。金町署・滝沢警部補」

返事をして立ち上がる。徐々に数を減らしている頭の中の、どれが立ち上がるのかと見渡している間に「相方」というデスク要員の声が聞こえた。

「隅田川東署・音道巡査部長」

小さな声が、はい、と聞こえた。講堂の最前列近くから、すっと立ち上がった人影が、ゆっくりとこちらを向く。

「ありゃりゃ。俺は外れか。ついてねえや」

隣から、國島の呟《つぶや》きが聞こえた。滝沢はズボンのベルトを軽くたくし上げながら、片方の口元だけを緩めて隣を向いた。

「さあな。運の悪いのは、どっちかね」

「俺だって。滝さんは、これはこれで、ラッキーってとこじゃないの」

國島の笑みに余計な意味が含まれているとは思いたくなかった。滝沢は小さく深呼吸をすると、かつての相方の肩に手を置いた。

「そんなわけ、ねぇだろうが。まあ、あいつも前に組んだことがある、いわば顔なじみでは、あるんだけどな」

國島が意外そうな顔をして、こちらを見上げてくる。滝沢は、できるだけ面倒くさそうに見える表情を作って口元を歪《ゆが》めた。

「ちょっとは気合い入れようかと思ったが、またお守り役だ。のんびり、やるよ」

ぽんぽん、と國島の肩を叩《たた》いてから、歩き始める。周囲からも、ちらちらと視線を感じた。焼き餅《もち》か。ざまあみろ、だ。

「よう、お久しぶりじゃねぇか」

音道の傍まで行くと、滝沢は周囲に聞こえるように、わざと大きな声を出した。

「お手柔らかに頼んますよ、女刑事さん」

久し振りに見る顔は相変わらず不愛想に、ただ「こちらこそ」と応えただけだった。土地鑑捜査とは、人または場所との、何らかの関わり合いを調べることをいう。土地鑑といったら、犯罪の現場となった場所と犯人との結びつきを捜査することであり、たとえば付近の住民やいつも通る人物など、現場の地理に詳しいものを洗い出す作業から始まる。

一方、今回、滝沢たちに割り当てられた敷鑑捜査の方は、親族や友人、知人、仕事関係など、被害者本人と何らかの関係のある人物を洗い出すことである。どちらも捜査用語だ。

「滝沢さん、傘、持ってますか?」

互いに無言のまま、署の玄関口まで降りてきたところで、音道が意外に人間らしい口調で話しかけてきた。滝沢は内心ほっとしながら「いや」とガラス越しに外を見た。どう話しかけようか迷っていたのだ。周囲の目もあるから、最初だけは景気良く挨拶《あいさつ》してみたものの、実は、それに続く言葉が見つからなかった。

「ちょっと待っててください。余ってるの、借りてきます」

音道は靴音を響かせて離れていく。滝沢たちの後からも、次々に降りてくる他の捜査員たちの流れに逆らうように遠ざかる後ろ姿を眺めて、滝沢はつい、小さく深呼吸をした。

「何だい、滝さん、もうふられたの」

やがて、若い刑事と連れだって歩いてきた國島が、通りすがりに相変わらずのにやにや笑いを向けてきた。滝沢は「まあな」とだけ応えて、脇《わき》の喫煙コーナーに向かった。やれやれ、だ。また余計な気を遣うことになる。

だが、そう思いながらも、さほど不愉快な気分にならないのが、我ながら不思議だった。むしろ、最初に感じた「ざまあみろ」と思う感覚の方が続いている。少しばかり、面白そうなことになりそうな気がし始めている。

「お待たせしました」

ふた口程度、煙草《たばこ》を吸ったところで、軽やかな靴音が近づいてきた。滝沢は「ちょっと待てや」とだけ言って、煙草を吸い続けることにした。ニコチンはだいぶ前から切れていたのだし、こんな天気の時に、歩きながら煙草を吸ってもうまくない。

「で、お変わりはなかったかい」

「私ですか？　お蔭《かげ》さまで」

「ここに、いたとはなあ」

「はい」

「俺もな、春に今んとこに移ってな」

「そうですか」

煙草の煙を吐き出しながら、つい笑いそうになってしまった。この、木で鼻をくくるような言い方だ。これが音道だった。変に馴《な》れ馴《な》れしくもならない代わりに、下手をすれば喧嘩《けんか》を売っているのではないかと思うほどに愛想がない。可愛《かわい》げのかけらも感じられない。相変わらず、不器用なままらしい。

「で、だ。あんたは、現場には行ってるのか。ホトケさんは、見たかい」

ふう、と最後のひと口をはき出して、灰皿に煙草を押しつける。それから滝沢は、初めてまともに音道の方を振り返った。例によって仏頂面《ぶっちょうづら》が待ちかまえているかと思ったら、身体《からだ》の前に黒色と、クリーム色との長い傘を一本ずつぶら下げて、音道は、どこか憂鬱《ゆううつ》そうな顔をしていた。

「——見ています。私の、担当でしたし」

「——え？」

「今川さんです。この春から、私と、署の先輩がずっと担当していました」

音道は麻か何かでできているらしい、薄茶色のパンツスーツを着ていた。ジャケットの中は白いシャツだ。開いた襟元《えりもと》には細い金色のチェーンが光っている。夏らしい、なかなか良い雰囲気だと思った。だが今日の天気と、こんな話題とでは、それも台無しだ。

「この何ヵ月か、ほとんど毎日、老人ホームにも通っていたんです」

「最後に会ったのは」

「三日前です。一時帰宅するというので、ホームから自宅まで、私たちも同行しました」

いい相手と組ませてもらった。音道であるというだけでなく。これは、思った以上に運が上向いている証拠かも知れない。滝沢は音道の手から黒い傘を受け取るなり、踵《きびす》を返して歩き始めた。すぐ隣を軽やかな靴音がついてくる。

何年前だったか、初めてこの女刑事と組まされたときのことを思い出して、滝沢は何となくくすぐったい気分になった。やたらのっぽの、可愛げのない奴《やつ》だと思ったものだ。しかも女ときている。冗談ではなかった。だから、徹底的に無視してかかることに決めた。音道自身のせいではないと頭では分かっていても、そうせずにいられなかったのだ。あのときも滝沢のすぐ横で、この軽やかな靴音が聞こえ続けていた。どれほど無視しても、しっかりとついてきた。

雨は相変わらずの降りだった。借り受けた傘を開くと、バラバラと大げさなほどの雨音が滝沢を包み込む。舗装された道のそこここにも、水たまりができていた。

「あの、どこへ」

雨音の向こうから音道の声がする。

「どっか喫茶店でも、ねぇか」

「喫茶店、ですか」

「茶でも飲もうや。再会を祝して」

「――だったら、こっちです」

振り返ると、クリーム色の傘の下から、音道がこちらを見ている。

「あんたさ」

「はい」

「相変わらず、でかいな」

「身長は、変わりませんから」

滝沢は「そりゃ、まあ、そうだが」と口元を歪めて見せてから、顎《あご》だけで、先に歩けと促した。すると音道は、それこそ滝沢など振り捨てるかのように、水たまりを避けながらぐんぐんと歩き始める。パンツの裾《すそ》に雨水が跳ね飛んで、いくつもの染《し》みを作った。どうやら、こちらが密《ひそ》かに喜んでいるほど、この相方は、滝沢との再会を嬉《うれ》しく思ってはいない様子だ。まあ、いいが。

「そんで?」

署からそう遠くないところにある喫茶店に落ち着くと、滝沢は早速、煙草をくわえながら、自分の斜め向かいに腰掛けた音道を眺めた。さすがに少しばかり意地を張っていたらしい。馬鹿《ばか》に景気良く歩きやがると思っていたら、女刑事はハンカチで額の汗をおさえ、さらに、薄茶色のジャケットまで脱いだ。真っ白い半袖《はんそで》のシャツブラウスから、顔の色と比べてもずい分と小麦色に日焼けした腕がすっきりと伸びている。それが、ここしばらく音道の過ごしてきた日々を物語っていた。

「それでって——」

すっと顔を上げた音道の瞳《ひとみ》が、真《ま》っ直《す》ぐにこちらを見つめた。こいつ、警戒していやがるのかと思った。相方の自分を。初対面でもないのに。

「つまり、あんた、白骨死体の現場にも行ったのか」

すると音道の表情に、今度は微《かす》かに安堵《あんど》の色が浮かんだ。どうもよく分からん。だから女は面倒なのだ。

「どんな感じだった。そこからまず、聞かせてくんねぇかな」

目の前に置かれた水をひと口飲んで、音道は「ええと」と少し考える顔になる。おや、と思った。こうして眺めると、以前に比べて少しばかり、表情が豊かになったようだ。

「最初は、男性の遺体だけかと思ったんです。今日ほどではないですが、やっぱり雨の日で」

それから音道は、男性の白骨死体と、ちょうど互い違いの格好で女性の白骨死体が埋められていたこと、さらに、その女性の骨盤のあたりから、極く小さな頭蓋骨《ずがいこつ》が発見されたことなどを語った。その位置からも、胎児か嬰児《えいじ》かの判断がつかなかったのだということだ。そういう細部の状況までは、先ほどの会議では聞かされていない。

「その後、現場に建っていた家の間取り図を再現して検証したところ、どうやら奥の六畳間の床下に埋められていたらしい、というところまでは、何とか分かりました」

古い貸家は、総二階で、下は六畳一間に三畳一間、台所と風呂《ふろ》、便所という造りだったという。

「何しろ、家主だった今川さんが、ああいう状態でしたから。どんなことを聞いても、すんなり思い出してもらえるときと、まるで駄目なときがあったんです。家の間取りを聞き出せたのも、ほとんど偶然みたいなもので」

煙草と調味料の臭《にお》いとが店中に染み込んでいるような、古くて狭い喫茶店だった。

普段着のままの女が、三つ折りソックスにサンダル履きで、注文した飲み物を運んできた。滝沢はアイスコーヒー、音道はホットコーヒーだ。汗をかきながらでも、よくもまあ熱いものを飲むものだと思いながら、黒い液体をストローでひと口すすって、滝沢は思わず顔をしかめた。

「——馬鹿に甘ぇな、こりゃ」

今どき、最初から甘くなっているアイスコーヒーも珍しい。しかも、ひと時代前の代物《しろもの》のような、かなりの甘さだ。つい舌をしごくようにしていると、目の前の気配が微かに動いた。音道が、コーヒーカップを片手に目を細めている。

「だから私、ここではホットしか飲まないんです」

「——早く言えよ、そういうことは」

音道は「すみません」と頬を緩めている。もう一度、馬鹿甘い液体を吸い上げて、大げさなほど何度も舌を鳴らしてから、滝沢は、お冷やの水をアイスコーヒーに注ぎ足した。こうでもしないことには、とても飲めそうにない。

「つまり、ガイシャは完全な痴呆《ちほう》状態ってわけでも、なかったんだな」

溢《あふ》れそうなアイスコーヒーをストローでかき混ぜながら音道を見る。極めて淡々とした表情のまま、彼女はゆっくり頷《うなず》いた。

「まだら呆《ぼ》けだと説明されました」

「まだら呆け、か」

そういう症状があることは、滝沢も知っている。一見すると、ごく普通に見えるのに、記憶のある部分だけが抜け落ちていたり、記銘力が失われたり、また見当識が狂ったりするらしい。だから周囲にも理解されにくく、誤解やトラブルを生じやすい。自分がしまったことを忘れて財布を盗まれたと騒いだり、確認したことを「聞いていない」と言い張ったりするからだ。

「毎日のように会いに行ってるのに、覚えてもらえなくて、いつも『お宅さんらは』って言われました。ですから、こっちも毎日『はじめまして』って応《こた》えるわけです。そうかと思えば、時々は覚えていることもあって、そんなときは『また来たのか』って不機嫌な顔をされて。他の会話も似たようなものです。昨日は覚えていたことを、今日は忘れていたり、そうかと思えば、ものすごく唐突に、昔話を始めたり。何度会って、いくら話していても、何となくだまされているみたいな、からかわれているみたいな気分でした」

「でも、明らかに呆けなんだろう？　認知症ってヤツか」

「――とは、言われましたが」

そのような状態だから、自分が所有していた貸家に関する記憶も実に曖昧《あいまい》で、結局は白骨死体につながるような情報は何一つとして引き出せずに終わってしまったと、音道は憂鬱そうにため息をついた。

「間借りしてた人が全員きちんと住民登録をしていたわけでもありませんし、家の見取り図も含めて、帳簿や書類も何も残っていないですし、本当に、今川のお爺《じい》ちゃんだけが頼みの綱だったんですが」

その老人が殺害された。偶然か。今の段階では、何とも言えない。

「基本的には、どういう爺さんだった」

音道は「そうですね」と、手にしていたコーヒーカップを戻しながら、また少し考える顔になる。

「認知症だっていうことを差し引いても、どちらかといえば我がままで、扱いにくい人だったと思います」

それから音道は、自身が今川篤行本人に会ったときの印象と、周囲の人々の、老人に対する接し方や評価などを簡単に話した。

「若い頃も、それなりに家族を泣かせたらしいですが、今でも気に入った女性を見つけると、誘おうとするんです。ホームでも、それで警戒されていました」

認知症の症状の一つとして、本人の意識が血気盛んな年齢の頃に戻ってしまい、その感覚で周囲に接するために混乱が生じる、というものがあるという。だが今川の場合、「この年寄りを哀れだと思って」などという台詞《せりふ》を連発していたというから、その部分では呆け症状は出ていなかったと考えられるらしい。

「複雑なんだな」

「周りも困っていました。何度、注意しても直らないどころか、逆に開き直るし。感情的になると、若い職員にでも食ってかかるようなところがあって、それが呆けているからなのか、ふりをしているだけなのか、本当に分からないらしいんです。とにかく口が悪いし、何かとトラブルを起こすので、要注意人物だったことは、確かです」

滝沢は「すると、だ」と、まだまだ甘いアイスコーヒーを飲んでから口を開いた。

「それなりに、殺しの動機を抱く人間が出てきても、不思議はない、と」

音道は、わずかに首を傾《かし》げたまま、またもや何か考えるような表情になった。

「あんたは、そうは、思わねぇか」

「――思わないことは、ないんですが」

「ですが？」

音道は、まだ考える表情を崩さない。滝沢は、無数のダニが棲《す》みついていそうな、色あせた布張りのベンチシートに背を預け、新しい煙草をくわえた。

この女の頭の中がどうなっているのかは知らないし、特別に知りたいとも思わない。だが滝沢は、音道の集中力と精神力、さらに嗅覚《きゅうかく》に近い勘の鋭さだけは、まずまず評価できると思っている。ほんの数えるほどしか関わったことはないが、滝沢はその都度、彼女のそういう部分に少なからず驚かされてきた。だから、待つことにする。

「今の段階で、思い浮かぶ人物が、いないわけではないんです。何人か」

数分後、音道は考えをまとめようとするように口を開いた。

「実際に手のかかる人でしたし、自宅でもホームでも、トラブルの絶えない人でしたから、そういう意味で、今川さんを快く思わない人物は、何人かいたとは、思うんです」

「その中に、ホシがいると思うか？」

「それを、さっきから考えていたんですが——そこまでというのは、考えられないんじゃないかと。いくら何でも」

「だが、今の時代だからなあ。きっかけなんかなくたって、知らない相手のことだって、殺《や》るヤツはいるわけだし」

音道は仕方なさそうな表情で頷く。

「確かに、先入観を持つべきでないことは解《わか》っています。でも、私個人の感触としては、やっぱり、あの白骨死体と無関係ではないような気がするんですが」

なるほど。それが音道の勘か。だが、この何カ月間か、それなりに一生懸命追いかけてきたヤマなだけに、執着しているとも考えられる。第一、死んだホトケが唯一《ゆいいつ》の手がかりだったようなヤマを、これからどう調べ上げていくのだ。むしろ、音道の勘が当たっているとするなら、今回のホシを挙げることが、白骨死体の件を解決する最短の道になる。

「すると、考えようによっちゃあ、行きずりなんかじゃねぇ方が、いいんだな」

第二章

1

事件発生からちょうど一週間後、今川篤行の葬儀告別式が執り行われた。

どこも一杯で、その日しか取れなかったという式場は、斎場にいくつかある中でも、もっとも小さい部屋らしかった。椅子席《いすせき》も二十ほどしか用意されていない。本来は、ほとんど身内だけで済ませる葬儀のために作られた空間なのだろう。だが、事件の衝撃を物語ってか、参列者の数は意外なほどに多く、ついに開け放たれたままになった扉の外にまで、焼香の列が続いている。

読経《どきよう》に身を任せていると、つい頭がぼんやりしてくる。式場の、出入り口に近い片隅に身を寄せて立ちながら、貴子は密《ひそ》かに自分の横方向に視線を走らせた。

どうも調子が狂う。

扉を挟んで、その向こう側に滝沢が立っている。半分眠たそうな、何を考えているのか分からない表情で、貴子とは別の角度から、途切れることなく続いている喪服の列を眺めているのだ。

しばらく見ないうちに、滝沢は以前よりさらに全体が脂《あぶら》ぎって、髪も減ったようだった。初めて会ったときには、ずんぐりむっくりの体型に、大きな腹を突き出してせかせかと歩く格好から、皇帝ペンギンのようだと思ったものだが、今回は何となく、ずぶ濡《ぬ》れで立ち歩きをするアザラシのように見えなくもない。

そのアザラシが、今回は妙に人当たりが良いのだ。コンビを組まされると分かった瞬間から、貴子の中では警戒ランプが点滅したというのに、滝沢の方は、こちらが拍子抜けするほどに、今のところ憎まれ口の一つも叩《たた》かない。

――そんなはずがない。最初のうちだけに決まってる。

優秀な刑事だということは分かっている。そうでなければ、四十を過ぎてから特殊班に配属になるなど、管理職以外では考えにくいはずだし、現に滝沢が特殊班にいた当時、貴子自身が世話になったこともある。同じ刑事として尊敬できる、また、信頼に足る人物なのだろうということは、十分に承知しているつもりだ。

そうは思うのだが、どうにもつき合いづらくてたまらない。そもそも外見からして、あまり連れだって歩きたいタイプではないのだが、そんなことよりも、何しろ滝沢は、女性蔑視《べっし》の権化《ごんげ》のような刑事だった。それに比べれば、日頃、何かと憎まれ口を叩いている同じ課の栗原など、まだ可愛《かわい》いくらいだ。要するに、滝沢がどれほど優秀な刑事だとしても、向こうがこちらを認めないのだから、どうしようもない。

貴子と同様、滝沢にも離婚歴があるという。そのことが影響しているのかどうかは分からないが、どうやら滝沢は、基本的に女という存在そのものを信用していないらしい。その上このアザラシは、刑事という職分に「女子ども」が入ってくることなど甚だしいお門違いであり、迷惑千万だと思っている節がある。だからこそ、以前コンビを組んだときも、貴子は相当な忍耐を強《し》いられた。最初のうちは徹底的に無視され続け、その後は何かというと揚げ足をとられ、嫌みを言われ、あからさまに苛立《いらだ》った顔をされたことを、今でもよく覚えている。ラーメン一杯食べるのにも、「だから女は」と言われるのではないかと、舌を火傷《やけど》しながら必死で箸《はし》を動かしたものだ。

そんな刑事と、またも組まされることになろうとは。こんなに嬉《うれ》しくない腐れ縁も、あったものではない。

だからこそ、こちらとしては最初からつけ入る隙《すき》など与えてなるものかと、身構えざるを得ない。それなのに、コンビを組んでからの、この一週間というもの、滝沢は妙に物腰が柔らかいままなのだ。口調こそは相変わらずぞんざいだが、それでも何かというと「あんた、どう思う」などと、貴子の言葉に耳を傾けようとする。まずそこからして、不気味でならなかった。もしかすると、最初に調子に乗らせておいて、後でドスンと落とすつもりだろうか。

——それくらい陰険なことだって、やりかねない。

まったく。一番身近な相方に、一番警戒心を抱かなければならないなんて。いちいち、相手の腹を探らなければならないなんて。今は、捜査に集中したいときなのに。思わず大きくため息をついて、貴子は片方の足にかけていた体重を、もう片方の足に移動させた。姿勢を変え、改めて正面の祭壇を眺める。

読経と香華《こうげ》に包まれて、黒い額に納まっているのは、この何カ月間かのつきあいで、それなりに情も移っていた相手だった。今川篤行が死体で発見されたという知らせを受けたとき、貴子は自分でも意外に思うほど衝撃を受け、動揺した。現場に急行したときには、正直なところ、涙さえこみ上げそうになったものだ。

——今川さん。お爺《じい》ちゃん。どうしちゃったんですか、本当に。

あの時から今現在に至るまで、貴子の中には、悔しさとも腹立たしさともつかない感情が、ずっとくすぶり続けている。ほとんど毎日のように会って、話をしてきた相手だというのに、ついに一度として、きちんと心を通わせることができなかったという、敗北感とも無力感ともつかない、苦々しい思いに襲われてばかりいる。

「ひょっとすると、ああいう症状を持ってた人の家族はみんな、そういう気分になるのかも知れないよな」

玉城も、何ともいえない表情で言っていたものだ。貴子としては、その玉城とのコンビのままで、この捜査本部に加わりたかった。それが一番妥当な気がしたし、もし、そうできていれば、アザラシなどと組まされることもなかったのだ。まったく。誰に感謝すべきなのか。

「なあ、あれ、誰だ」

ふいに、すぐ耳元で低い濁声《だみごえ》が聞こえた。ぎょっとなって振り返ると、貴子よりも幾分低い位置に、滝沢の大きな顔が迫っている。思わずのけぞりそうになりながら、貴子は滝沢の視線を追った。ついぼんやりしている間に、焼香する人の列に、さっきまでは見かけなかった数人が加わっている。年齢も性別もまちまちだったが、そのうちの何人かは見覚えがあった。さらに、その中にひと際身体《きわからだ》の大きな、髪型に特徴のある男を見つけて、貴子は「あれは」と滝沢に顔を寄せた。

「老人ホームの、スタッフです」

「ガイシャの入ってた？」

貴子は、ちらりと滝沢を見てから、急いで視線をそらし、小さく頷《うなず》いた。だめだ。距離が近すぎて、すべてがアップで見えてしまう。目脂《めやに》も。耳あかも。

「あの、パイナップルみたいな頭の野郎も？」

滝沢には娘が二人いる。長女の方が嫁いでいることは知っているが、もう一人は多分まだ家にいると思う。この父を見て、何とも思わないのだろうか。何か言ってやる気には、ならないのか。もう。貴子なら、絶対に言っている。

「あんな野郎が、老人の世話か」

「何かと体力がいる仕事ですから、ああいう人は必要みたいです。それに、今川さんの癇癪《かんしゃく》を、まともに受け止められる相手となると、そうはいなかったと思います。あの人には、よく食ってかかってるようでした」

「何で」

「たとえば、今川さんが女性のスタッフにちょっかい出そうとしたりすると、あの人が阻止するんです。仮病とか嘘《うそ》を見抜いて」

「阻止って、どうやって。力ずくか？」

「今川さんが暴れでもすれば、多少は押さえつけたかも知れませんが。私が見たときは、ただ相手にならないようにしていたという感じです」

ふうん、と小さく頷く滝沢から意識的に身体を離し、その言い訳のように、貴子はそろそろと壁伝いに前の方に向かった。やがて、老人ホームのスタッフたちが祭壇の前まで進んだとき、最前列に腰掛けていた一団から女が立ち上がった。今川季子だ。たった数日の間に、哀れなほどにやつれ果てた彼女は、ホームの人々にしがみつくようにして、何度も頭を下げている。焼香の列が止まって、密《ひそ》やかなざわめきが起こった。そんな。いいんです。かわいそうに。何だってこんなことに——女性のスタッフからも、嗚咽《おえつ》とともにそんな声が聞こえた。その横で、例の大柄な男だけが、半ば困惑したような表情で、所在なげに立っていた。

——確か。

そう、確か、長尾《ながお》といったと思う。エプロンの胸のあたりに、かなり乱暴な四角い文字で、氏名が書かれていた。長尾、広士《ひろし》だ。今はわずかに口をとがらせて、面白くもなさそうに、今川老人の遺影を見上げている。その表情に、どういう感情が隠されているのかと、貴子は彼の横顔をずっと見つめていた。

「——本当に、最後の最後まで、こんなに手をかけさせて——何ていうお父さんなんだか——せめて、布団《ふとん》の上で死んでくれたらよかったのに——」

途切れ途切れの季子の声が「一体誰が」と続いた。

「誰が――何の恨みがあって、こんな目に遭わすのよぉ――」

その怒りは、貴子たちにも向けられているように感じられた。事件から一週間が過ぎているというのに、実はまだ容疑者らしい人物さえ、浮かび上がっていないのだ。せめてホームレスの一人くらい、目撃していても良さそうなものなのに、そんな人物さえ見つからない。それだけに昨晩の通夜と今日の告別式には、かなりの捜査員が投入された。この式場、さらに斎場の周辺など各所に配置されて、参列者をくまなくチェックしている。

「可哀相《かわいそう》に、可哀相に――お父さぁん！」

日頃、あんなにも父親への恨み言ばかり言っていたとは思えない姿だった。だが、無理もない。それが親子というものなのだろう。せっかく八十何年も生きてきて、どうして最後に殴り殺されたりしなければならないのだと、貴子でさえ思うのだから。それだけの、何かをしでかしたというのなら、まだしも。

――たとえば昔、若夫婦を殺した、とか。

だが、そんな落ちでは困るのだ。認知症になったことで、罪からも罰からも免れたというのでは、あまりにもいただけない。その上、こんな形で天罰を受けたなどという話は、とても認められない。断じて。

泣き続ける季子を、親戚《しんせき》らしい人々が席に座らせている。崩れ落ちるように席についた季子は、そのまま隣の背中にもたれかかった。遠目に見ても、学校の制服らしいと分かる紺色のブレザーを着た背中だった。他の大人たちと比べて、一回り以上も小さい。季子の息子に違いなかった。貴子たちが訪ねたときには、いつも留守の様子だったし、取り立てて年齢なども聞いたことはなかったが、こうして眺めると、おそらく高校生にもなっていないように見える。

母親にもたれかかられても、肩に手を回されても、その頼りない後ろ姿は、ただ小さく揺れるだけだ。少年が、今どんな気持ちで母親の重みを感じているのかと、ふと思う。職業柄、仕方のない部分だが、こういう目で周囲を見ている限り、故人への惜別の情などは遠ざかる一方だ。貴子だって、心から悔やみの言葉を贈りたい。安らかに眠ってくださいと手を合わせたい。だが、それは、ホシを挙げてからすべきことだった。そう、自分に言い聞かせている。

ふと振り返ると、滝沢の姿が見えない。思わず「しまった」と思った。

——何なのよ。

こんなところで置いてけぼりを食わされたのではたまらない。やはり、一筋縄ではいかないアザラシだったか。つい、油断しただろうか。頭がかっと熱くなった。慌《あわ》てて壁伝いに戻り、式場の外に飛び出す。ところが、参列者の集団から離れた広々としたロビーの、大きなガラス窓の近くで、向こうを向きながら煙草《たばこ》を吸っている、ずんぐりむっくりの姿が見えた。

「ああも芝居がかって泣き叫ばれちまうとさぁ、あの女まで疑いたくなってくるよなぁ。娘だろうが何だろうが」

貴子が歩み寄ると、滝沢は小さく振り返って、「わざとらしくて」と、いかにも不愉快そうに顔を歪《ゆが》めた。

「俺、嫌《きれ》ぇなんだよな、ああいうの」

貴子は「なんだ」と密かにため息をつきながら、小さく頷くしかなかった。

本当に、どうも調子が狂う。

相手が、それなりの態度に出てくれれば、貴子としてはいつだって、それに応じる準備は出来ているつもりだ。表立って刃向かうつもりはないが、かといって、ただ言われっぱなしになるつもりもない。むしろ、そういう形ででも、自分の中で闘志をかき立てたい思いもあった。その方が気が紛れる。昂一のことも、彼の病気のことも、考えずにすむ。

最近、昂一から連絡がない。最後に来たメールには、新しい仕事に夢中だと書いてあった。それだけなら良いがと思いながら、つい、不満が募る。どこまで心配させれば気が済むのだ。第一、貴子のことは気にならないのか。

「そろそろ、出棺か」

煙草をくわえたまま、滝沢が手元の時計に目を落として呟《つぶや》いた。貴子が戻りますか、と言おうとしたとき、今川家の式場の、その隣の式場から、礼服の男が出てきた。こちらでも、べつの告別式が執り行われているらしい。男は、さりげなく礼服の上着を整えると、そのまま数珠《じゆず》を片手に、今度は今川家の式場に入っていく。中肉中背、黒々とした髪をきっちり七三に分けた、面長の顔には見覚えがあった。

「ああいうこと、するんですね」

貴子は、口をへの字に曲げ、眉根《まゆね》を寄せている滝沢を見て言った。

「区議なんです」

「区議？　この辺の？」

「うちのカイシャでも何回か見かけたことがありますし、管内を歩いてると、よくポスターが貼《は》ってあります。いかにも若さと清潔感が売り物です、みたいな顔で笑ってる」

「会派は」

貴子が「さあ」と首を傾《かし》げると、今度は滝沢はにやりと笑った。

「女刑事さんは、無党派ってか。そういうことには、興味はないんですかね」

来た、と思った。この嫌みだ。これこそが滝沢だった。貴子は咄嗟《とっさ》に身構える姿勢になって、わずかに顎《あご》を引いた。滝沢は、貴子の大嫌いな、何とも不気味な笑いをにやりと浮かべて「まあな」と言葉を続ける。

「俺だって、てめえの受け持ってる地域の議員なんて、いちいち覚えちゃあ、いねえけどな。そんなことは、二課か公安にでも任しときゃあいいってなもんだ」

式場内からマイクを通して何か言う声が聞こえてきた。ひと際大きな泣き声が洩《も》れてくる。そろそろお別れらしい。

「まあ、議員さんも大変だわな。葬式もハシゴとは。なあ」

よし、戻るぞと呟いて、滝沢はくるりと踵《きびす》を返す。

やっぱり変だ。拍子抜けする。

——歳《とし》、とったんだろうか。

突然、ガラス窓を震わせて雷鳴が轟《とどろ》いた。見上げると、いつの間にか真っ黒な雲が広がっている。今川老人の無念の思いのようで、余計に気が滅入《めい》った。

その日の午後、東京とその周辺は、それこそ天の底が抜けたかと思うような猛烈な雷雨に見舞われた。各所で電車が止まったり地下道が冠水したり、また、落雷や土砂崩れのために、ついに死者までが出るという、ほとんど台風並みの被害になった。そして翌日、関東地方は梅雨が明けたと発表になった。

「さあ、そろそろ本腰入れて、いこうじゃないか。なあ！　傘を持たずにすむようになった手に、何か摑《つか》んで帰ってきてくれよ。手ぶらじゃなくってさあ！」

既に、もう何日も前から、会議のたびに脅迫じみた言葉が飛ぶようになっている。それが、ついに梅雨明けバージョンになった。

告別式の後、貴子たちは参列者の芳名録や名刺類の提出を受け、それをもとにして、改めて被害者の人間関係を洗い直すことになった。まず、大まかな分類が行われた。

・家族・肉親・親類縁者
・遺族の仕事関係および友人・知人
・町内会など近隣住民
・ガイシャの友人・知人
・老人ホーム関係（従業員・入居者）
・その他

今、本部正面の大きなホワイトボードには、それらがグループ別に大きく分けられ、それぞれの枠組みの中に、参列者全員の氏名が、いずれかに振り分けられて書き込まれている。ただし、その半数近くには、上に棒線が引かれていた。既に昨日までの段階で聞き込みを終え、確実にシロと判断されている人たちだ。つまり、被害者との面識および利害関係がない、事件当夜のアリバイが確かである、高齢または女性で、凶器を振り回して犯行に及ぶだけの体力があるとは思えない、などといった面々である。

また、氏名の上に違う色で印をされている人物も点在している。一度は聞き込みに回っているが、完全にシロとは断定出来ない、「保留」という意味の印だ。つまり、被害者と何らかの関係があり、アリバイがはっきりせず、また、凶器を振り回せる体力くらいはありそうだ、と思える人たちということになる。

「敷鑑捜査担当は、これからいよいよ絞り込みの段階に入るはずだ。各自、気持ちを入れ替えて、緊張感を保ち、どんな些細《ささい》なことも見落とさずに、捜査に邁進《まいしん》して欲しいっ」

確かにAからB、BからCと、糸をたぐるように人間関係を探ることで、この一週間ほどは過ぎてしまっていた。資料が豊富になったということは、それだけで捜査がはかどることを意味しているようにも見える。そして、貴子と滝沢の班には「老人ホーム関係」が割り振られた。

「さあ、清々《すがすが》しい気持ちで、夏休みでも取ろうよ、なあ！」

朝っぱらから必要以上に元気の良い管理官の声に送られて署の外に出れば、数日前までとは打って変わって、まさしく真夏の陽射《ひざ》しが、容赦なく照りつけていた。すぐ前の道を、日傘で歩いていく女性を見かけて、貴子は思わずため息をついた。

――日傘差して聞き込みに歩く刑事なんて、いやしないし。

だが、こんな陽の下を一日中歩き回っていたら、瞬《また》く間に黒こげになるだろう。貴子だって最近は、密かに肌の老化やシミなどを気にしている。何とか手を打たないとにはと思っていたら、すぐ隣で「ぐわーっ」というような声がした。

「何つう陽射しなんだ。帽子でも被《かぶ》らんことには、脳味噌《のうみそ》がやられちまうな、こりゃあ」

滝沢が、早くもタオルハンカチを片手に、しかめっ面《つら》で空を見上げている。

「俺の場合、頭のてっぺんに、ほとんどまともに来るんだから。阿呆《あほ》になっちまうよ」

こういう会話が困るのだ。自虐《じぎゃく》的な話題を出して、どうしようというのだろう。素直に笑って良いのかどうか、まるで分からないではないか。かといって、完璧《かんぺき》に無視するのもためらわれる。どちらが相手の神経を刺激するのかが分からない。結局、貴子は口元だけで曖昧《あいまい》に微笑《ほほえ》んで、自分たちの歩き出す方向を見やった。暑さを強調するように、早くも四方から蟬《せみ》の声が響いていた。

「なるべく、日陰を歩きましょう」

結局、そんな程度しか言えなかった。そして、まだ一人で「まいったなあ」などと呟いている滝沢から少し遅れて、貴子も白い陽射しの下に出た。

事件発生から、既に十日近く過ぎようとしている。それを「まだ」と見るか「もう」と思うかは立場によって違うだろう。だが貴子には、この同じ道を毎日のように通っていた日々が、妙に遠く、懐《なつ》かしく思えてならなかった。あの頃はマンネリ気味で緊張感の失われた毎日に心底うんざりしていたし、昴一のことも含めて、何でもかんでも面白くなく感じていたものだが、それでも、今のこの状況よりは、ずっと良かった。下には下があるものだ。

いつも会いに行っていた相手が、突如として姿を消す。いなくなる。再び会うことはない。それが分かっていながら、その相手の過去を探る——こういう無力感とも、虚無感とも思える気分を味わうのは、久しぶりだった。もしかすると離婚した頃の感覚に似ているかも知れないと、ふと思う。

未練のひとつもあるわけではない、悲しいというのとも違っている。ただ、どこかで悔いのようなものがあるのだ。何か見落としてはいなかったか、もう少しきっかけを摑める方法があったのではないか、なぜもう少し心を開いてはもらえなかったのか——今とまるで同じことを、やはり何年か前にも考えた気がする。程度に違いはあるものの。

「今度は、あんたが聞くことにするかい」

少し前を歩いていた滝沢が、ふいに振り返った。貴子は大股《おおまた》で滝沢に追いついた。

「私が、ですか？」

「顔なじみもいるんだろう？」

「——いることは」

「何だ、嫌かい」

「そういうわけでもないんですが」

並んで歩きながら、貴子は次の言葉を探した。感情的になるのではないか。どこかに偏《かたよ》りが生まれたりはしないか。先入観に捕らわれないか、いろいろな思いが浮かんだ。

「滝沢さんに、お願いしたいです」

少し考えてから答えると、滝沢は不思議そうな表情でこちらを見上げてくる。

「喜ぶかと思ったのにな」

「私は逆に——少し距離を置いて、客観的に見てみたいんです」

滝沢は、唇を突き出すような横顔を見せたまま、しばらく黙って歩いていたが、やがて「そうか」と呟いた。

「あんたがそう思うんなら、まあ、そうしようか」

貴子は「ありがとうございます」と小さく頭を下げながら、またもや居心地の悪い、こそばゆいような感覚を味わわなければならなかった。滝沢が、貴子の喜ぶことを考えている？　まさか。もしかすると、どこか身体《からだ》の具合でも悪いのだろうか。

——糖尿とか。

その割に、酒は毎晩欠かしていないらしい。他の捜査員との会話で分かることもあれば、臭《にお》いで分かることもある。昼食といえばラーメンを食べたがる。コーヒーには砂糖とミルクを欠かさない。もしも糖尿病なら、瞬く間に入院レベルまで悪化するに違いない。

——肺ガンとか。

刑事の中にだって、このご時勢には逆らえないからと、煙草をやめる人間が増えている。だが滝沢は、相変わらずのヘビースモーカーだ。だが、別に咳《せ》き込むこともないし、痰《たん》がからんでいる様子もない。

「あの」

思わず言いかけてから、はっとなった。何を聞こうというのだろう。身体の調子はどうですか、とでも？　このアザラシに？　聞いてどうするのだ。だが、隣からは、うん、と相変わらずうなるような声が返ってくる。

「いえ——道路の反対側の方が、日陰が多いかなと」

滝沢は、あっさり「そうだな」と答えて道路を斜めに横断する。貴子もそれに従った。こめかみの辺りから汗が滴《したた》る。蟬の声が、ほとんどやけっぱちのように聞こえた。

ようやくたどり着いた「はなみずき」は、うっすらと消毒薬のような臭いが混ざっている、ひんやりとした空気に包まれていた。その上、明るい場所から急に屋内に入ったせいもあって、陰気くさいほど薄暗く、まるで洞窟《どうくつ》か何かのように感じられる。

「まだ捕まらないんですか、犯人。いやね、私たちも皆で気にしてるんですわ。スタッフもそうですが、オーナー様たちも、皆さんショック受けてますしね、中には、すっかり元気をなくしてる人が、少なくないんでね」

これまでにも何度か話をしたことのある、事務局長だった。五十代の後半か六十近くだと思うが、こちらは滝沢などを遥《はる》かに凌《しの》ぐ頭髪の薄さだ。しかも、その極めて少ない髪の分け目が、右耳のすぐ上あたりにある。二人は初対面早々、まず互いの頭髪の話題でひとしきり盛り上がった。この陽射しでは頭皮が日焼けして、もうすぐひび割れるだろう、などという話だ。笑いながら二人同時に振り返られて、ここでも貴子は曖昧に口元を歪《ゆが》めるしかなかった。

「やっぱりショックでしょうよねえ、そりゃあ。だけど、そんなことで具合でも悪くされちゃあ、また大変でしょうが。ねえ」

既に、すっかり打ち解けた様子の事務局長は「そうなんですよねえ」などと大きく頷《うなず》いている。貴子が玉城と通っていた頃は、無愛想というほどではないものの、文字通り堅苦しい、事務的な応対しかしなかった人だった。こういう相手を手なずけるのが、滝沢は実にうまい。どこか、するりと相手の懐《ふところ》に入り込むところがある。

実は、貴子はこういう部分が自分には欠けていると自覚している。向こうの緊張や警戒心が、そのまま貴子の方にも伝わってきて、柔軟な対応が出来なくなることが珍しくないのだ。出来ることなら、こういう技術は盗みたいところだった。たとえ、アザラシからでも。

「また、ここのところ馬鹿《ばか》に暑くなりましたもんでね。何かと体調を崩す人がいるんです」

はあはあ、としきりに相槌《あいづち》を打っている滝沢と、予想外に話し好きらしい事務局長と、三人で丸いテーブルを囲みながら、貴子は手帳を片手に、さりげなく辺りを見回していた。

貴子たちが案内されたのは、玄関を入ってすぐのホールにある、ごく簡素な作りの応接セットだった。たとえば入居を希望する家族のためなどに、用意されているのかも知れない。椅子《いす》に腰掛けると、玄関口からちょうど鉤《かぎ》の手に曲がっている廊下の、両方の先までがよく見渡せた。

そこには十日前までと、まるで変わらない光景が広がっていた。思い思いの格好をした老人たちが、まるで漂うように、手すりのついている廊下を歩いている。中には車椅子に腰掛け、または、ヘルパーに手を取られている人たちもいるが、いずれもが、まるで水中を浮遊するかのように、ゆっくり、ゆっくりと移動していた。つい今し方、事務局長は入居者たちの受けたショックや悲しみについて語ったが、こうして眺めている限り、彼らにそのような感情があることさえも分からないくらいだった。

「集団生活だから、そういうことも妙な病気と一緒で、ぱあっと、こう、広がっちゃうもんなんですかね」

今度は事務局長の方が「そうです、そうです」と頷いている。

「だから私らも、オーナー様たちの前では、この話題は出さないようにしようって、皆に言ってあるんです。ちょっとしたことで、ぐうん、と落ち込むお婆《ばあ》ちゃまとか、いますしね」

「ぐうん、とねえ。ぐうん、とか。ふうん」

「でも、スタッフ同士では話してますよね。今川様が、あそこまでひどい目に遭う理由が、どこにあったんだろうかとか」

「それで、何か、思い当たることのある方は、おられましたかね」

漂う老人たちの間をすり抜けるように軽快に動いているのが、このホームのスタッフたちだ。ユニフォームのTシャツを着て、エプロンをして、彼らは時としてキュッ、キュッと靴音を響かせながら、実に生き生きと、また忙しそうに行き過ぎる。

「そちらの刑事さんは、よく知っておられると思いますが」

不意に、話の矛先がこちらに向いて、貴子は視線を戻した。

「今川様は、まあ、認知症ってことも、あるにはありましたが、色々と、扱いの難しいところも、ありましたから」

「ここで、トラブルとか？」

「まあ、小さいことなら色々とねえ。そりゃあ。ありますよ。人間同士ですから」

その辺の話を聞かせてくれませんか、と滝沢が身を乗り出した。事務局長は、わずかに迷う表情になり、それならば、自分よりも現場のスタッフの方が詳しいはずだと言った。

「なるほど、現場のね。そりゃあ、そうだな。よし、じゃあ、それはそっちで聞かせてもらうとして、だ」

滝沢は、ちらりと貴子の方に視線を投げて寄越した後で、このホームに勤務する全員の名簿と、勤務表を見せて欲しいと言った。今度は、事務局長は警戒心をあらわにした表情に変わった。

「と、申しますと、つ――つまり、あれですか。ここのスタッフに、怪しい人物がいるとか、そういうことなんですか?」

「違います、違います」

慌《あわ》てたように声を出したのは貴子だった。何となく、そうすべきだと思ったからだ。さっき、滝沢がこちらを見たときに、何か役割を与えられたような気分になった。

「今川さんの周辺にいらした方にはすべて、お願いしているんです。もう、どなたにも、ご協力いただいていることとです」

事務局長は、まだ何か言いたげな表情で、貴子と滝沢とを見比べていたが、一瞬、間をおいてから「捜査協力ってヤツですか」と呟《つぶや》き、一人で頷いた。

「いやあ、助かります」

今度は滝沢がにんまりと笑顔を作る。そして、事務局長が「お待ちください」と立ち上がるのを、そのままの笑顔で見送った。

「いい勘、してんじゃねえか」

事務局長の後ろ姿が遠ざかると、滝沢は早速、煙草《たばこ》を取り出しながら、わずかに目を細めてこちらを見た。このテーブルには灰皿が置かれていない。吸って良い場所なのだろうかと、貴子は目で灰皿を探しながら、口だけで「何がですか」と応《こた》えた。そして、隣のテーブルに灰皿が置かれているのを見つけると、その灰皿をこちらに持ってきた。滝沢は礼も言わずにもう一口目の煙を吐き出している。

「アイ・コンタクトってヤツだな」

濁声《だみごえ》とは不釣り合いな言葉を聞いて、貴子は、今度は思わず滝沢の方を見てしまった。咄嗟《とっさ》に「冗談じゃない」と応えそうになって、慌てて口をつぐむ。確かにさっき、貴子は滝沢の意図を読み取った。腹立たしいことに。こんな、アザラシの。

「時間をかけりゃあ、だんだん息も合ってくるってもんだ。それにしても、俺も忍耐強くなったもんだよ、我ながら」

滝沢は一人でにやにやと笑っていた。

2

「ハッピーライフはなみずき」は、準大手の不動産会社が事業主体となっている施設で、都内および近県に経営展開されている何棟かの有料老人ホームのうちの一つだという。敷地の狭さから、シリーズの中ではもっとも小規模なタイプで、全四十五室。すべてが個室だから、入居者も四十五人までということになる。

「個室を希望されるということは、離婚も死別も含めて、お独りだということです。そういう方はとりわけ、長い間暮らしてきた町から離れていないところを希望されるものなんです。ご自分が外出するにしろ、お子さんやお孫さんが遊びに来るにしろ、やっぱり近くて土地勘のあるところがいいですからね。通い慣れた病院があったりもしますし」

戻ってきた事務局長は、まず説明を始めた。

「ところが都内、特にこの界隈《かいわい》は、何しろ建てられるスペースそのものが、ないわけです。少し離れた地方まで行けば、もっと環境のいい、大きな施設もご提供しているんですが、いくら条件がよくても、そんな遠くには行きたくない、とおっしゃる方は大勢様、おいでになりますからねえ」

そのため、ここも開設当初から常に入居申込者が待機している状態が続いており、長い場合は三、四年も待っている人がいるくらいだと事務局長は言った。入居の条件は六十五歳以上。要介護の高齢者も受け入れてはいるが、入院するレベルの場合は無理だという。

「三、四年か。待ってるうちに、死んじまいませんかね、そりゃあ」

滝沢が口を挟むと、事務局長は、にこりともせずに「そういう場合もあります」と答えた。今川篤行も、申し込みから実際の入居まで二年以上は待ったはずだし、その彼が三年足らずの月日を過ごした部屋も、あと何日もしないうちに、また新しい入居者で埋まるらしかった。

「オーナー様の名簿も、必要ですか」

事務局長は抱えてきた名簿類のうちの一つを手に取りながら、滝沢の方を向いていた。すると滝沢が、またもやちらりとこちらに視線を投げかけてきた。貴子に答えろと言っている。咄嗟《とっさ》のことに密《ひそ》かに焦《あせ》りながら、貴子は「あの」と口を開いた。姿勢を変え、背筋を伸ばす。出来るだけゆっくりと。その間に適切な返答を考えなければならない。まるでテストだ。

「事件の当日ですが――つまり、今月の四日の夜から五日にかけて、ですね」

事務局長が小さく頷《うなず》く。

「入居者の中で、外出なさっていた方は、おいでになるんでしょうか。そういう記録は残っていますか？」

事務局長は「待ってくださいよ」と呟《つぶや》きながら、日誌のようなものを繰り始める。ぱら、ぱら、という紙のめくれる音を聞きながら、ちらりと目を上げると、滝沢がそっぽを向いたまま、片方の頬だけをわずかに緩めていた。合格ということか。とりあえずは。

「そういう記録は、残ってませんね。外泊の届けが出ているのも、今川様だけですし」

そうですか、と呟きながら、貴子はもう一度、滝沢の方を見た。小憎らしいアザラシは、澄ました顔で新しい煙草をくわえている。

「では――今回はとりあえず、入居者名簿は結構です。ただ、今川さんと特に親しくしていらした方とか、逆に、何かとそりが合わないというか、そんな様子の見受けられた方がお分かりになれば、教えていただけますか」

「そういうことも、先程も申しましたように、スタッフの方が分かると思いますが」

そういえば、似たようなことを聞いたかも知れなかった。今度はあんたの番よ、と心の中で呟こうとしていたら、滝沢が「そうなると」と口を開く。嫌な感じ。本当に以心伝心みたいではないか。

「ここで働いてる人たちのことですがね」

事務局長が別のファイルを開く。そして、滝沢の質問に答える形で、現在この施設には四十二人の介護スタッフが働いていると説明を始めた。つまり入居者とほぼ同数が働いているということだ。意外な多さだと思った。

「今のところ、基本としては、六・三・六・三、で動いてるんですがね」

従業員名簿と勤務表などを見比べながら、事務局長が言葉を続ける。

「なんですか、そりゃあ」

滝沢が身を乗り出した。

「勤務時間によるスタッフの割り当て人数です。早番六人、日勤が三人、遅番が六人で、夜勤が三人、と。四交代制ですんでね」

それから事務局長が、ほとんど経文のようにすらすらと口にするそれぞれの勤務時間を、貴子は素早く手帳に書き取った。

早番は七時から十六時までが勤務時間となる。日勤、遅番はそこから二時間ずつずれて、それぞれ九時と十一時から仕事が始まり、十八時、二十時に終わる。夜勤のみが十七時半から翌日の九時半までと、二時間の仮眠を挟んで長時間の勤務になるという。つまり、一日二十四時間の間に、延べ十八人の介護スタッフが、入れ替わり立ち替わり入居者の世話をしているということだ。途切れることなく、そのローテーションを組むのだから、なるほど、四十二人くらいのスタッフがいても不思議ではないのかも知れなかった。

「その中にはパートさんも結構、混ざってますんでね。夜勤専門っていう人もいるし、そういう人たちの、それぞれの都合に合わせて、色々とやりくりしてるんです」

ひと口に介護スタッフと呼んでいるが、彼らには、養成研修を受けて資格を取得するホームヘルパーか、国家資格としての介護福祉士の資格を持つかの、二種類があるという。このホームで働いている限り、実際の仕事の内容自体はまったく変わらないそうだが、給与の点で微妙に差が出るらしい。その上、正社員とパート社員、さらに派遣社員などといった違いもあるから、管理も複雑なのだそうだ。

「まあ、オーナー様には、そんなことは関係ないんですが。結局は、経験がものをいう仕事ですから。資格よりも人柄と技術です」

時として入浴から排泄《はいせつ》まで、すべての世話を受け持つのだから当然のことだ。要するに資格だけ持っていても、たとえば学校を出たばかりの経験の浅い人間では、対処しきれないことが山ほどあるということだった。

「何だかんだ言いましてもね、ここは有料のホームですから、要するにサービス業なんです。ただお世話をすればいいっていうものではなくて、オーナー様が、いかに快適に過ごせるか、常に努力と工夫を怠らないというのが、経営の第一理念ですから」

介護スタッフの優劣がホームそのものの評判にもつながるし、今後、老人福祉業界で成長できるかどうかの、大きな条件になるという。人材集めは重要な課題だという話だった。

さらに、それら介護スタッフ以外の職員も存在する。ケアマネージャー一名、通称「ダイニングさん」と呼ばれる配膳《はいぜん》係と、そのアシスタントが各一名、常駐の理学療法士および看護師、さらに栄養士が各一名、歯科衛生士も一名。

「歯科衛生士ですか」

貴子が顔を上げると、事務局長は得意そうな表情になって頷いた。

「口腔《こうくう》ケアは何より大切ですから。上手に食事が取れなくなると、内臓にも負担がかかりますし、入れ歯の場合は不衛生です。何しろ年齢が高くなりますとね、ほんの少しのことでも歯茎が腫《は》れたり、出血したりと、後々が大変なんです。食べられなくなるのは、寝たきりへの近道にもなってしまいます。そうさせないためにも、もっとも注意して差し上げなければならないことの一つが、お口のケアなんです。うちのホームでは、毎食後必ず、お口のチェックをしますからね」

事務局長は自信満々で語った。

「歯、ねえ、そんなもんですか」

「そうですとも」

「いや、あたしもね、もうずっと長いこと、虫歯を抱えてましてね。本当は、早く歯医者に行かなきゃならんのですがねえ」

こうして暑くも寒くもない空間に身を置いて、滝沢の、単なる雑談にしか聞こえない話を聞いていると、奇妙な懐《なつ》かしさのようなものが湧《わ》いてきた。初めてコンビを組まされた当時、この長話が貴子には煩《わずら》わしくてたまらなかった。どうして必要なことだけを聞いて、もっと効率的に動けないのかと、苛々《いらいら》して仕方がなかった記憶がある。だが、そんな思いを簡単に見透かされて、こっぴどくやられた。あの、屈辱で震えそうになっていた頃に比べれば、我ながら丸くなったものだと思う。少なくとも、こうして黙って滝沢の世間話を聞いていられる。

入居者の生活そのものをサポートする介護スタッフに、それらの専門職がいて、もちろん、一般企業と同様の、総務や経理といった事務職がいる。さらに調理や清掃、クリーニングなどに関しては、それぞれに委託業者から派遣されている人間が入っている。そうして総勢九十二人の人々が、一見すると普通のマンションと変わらなく見える、高齢者専用の住居を職場としているということだった。

——一人で二人。

乱暴に計算してしまえば、要するに、そういうことだ。一人の老人が、従業員およそ二人分の給料を支払っているということになる。それだけの財力、それも一時的でなく、寿命の続く限り支払える力がなければ、ここに暮らす資格はないということになる。さっきから、事務局長は入居者のことを「オーナー様」と表現している。その呼び方が、如実《にょじつ》に物語っている気がする。

「それで、夜は、どうなるんです？　介護の人たちは三人、いるわけですわな。その他には？」

事務局長は、介護スタッフの三人だけだと答えた。この施設は警備会社とも契約しており、外部からの侵入以外に、入居者が体調を崩したなどの場合にも、通報するシステムが出来上がっている。だから遅番のスタッフが帰った夜八時過ぎから、朝食の支度をする調理場担当の人間が午前六時頃に出勤するまでは、三人の介護スタッフだけが、ひっそりとした建物内を定期的に巡回して過ごすらしい。

事件当夜、今川老人以外に外出していた入居者はいなかった。徘徊《はいかい》も含めて、勝手に出て行く者がいれば、建物の扉が開いた段階で警報が鳴り、警備会社にも通報がなされるが、その記録もない。眠りについた高齢者たちを見守っていた夜勤は三人。つまり、残る従業員八十九人に関して、アリバイ確認の必要があるということだった。

とりあえず今現在、職場に出てきている職員から順番に当たるために、スタッフ用の会議室を提供してもらうことにして、三人揃《そろ》って席を立ちかけたとき、滝沢が「ところで」と口を開いた。

「事務局長さんは、その日は、どう？」

その途端、事務局長がしかめっ面《つら》になった。

「私にも、そういうことを聞くんですか」

「気を悪くせんでください。これから全員に聞くんですから」

「分かってはいますが――私なんか、何の関係もないですがねえ。無論、オーナー様のお一人でしたから、お顔くらいは承知してますが、ろくに口をきいたことだってないくらいなんです。それでも、聞くんですか、そういうことを」

滝沢が「まあまあ」となだめるように手を振って見せる。

「ほんの形だけですから、ね。決まりなんですよ。すんませんねえ」

上げかけていた腰を再び椅子《いす》に戻して、事務局長は仕方なさそうにため息をつく。

「実は、他の連中とも話してはいたんです。そのうち、ここにも刑事――さんが来るだろうって。だけど、事件が起きたのは真夜中でしょう？　家で寝てる時間ですよ、普通。その場合、アリバイなんて言われても、どう証明するんだろうって。ねえ？　どうですか」

「ごもっともです。ですが、それでも一応は聞かせてもらわないわけにいかんのが、この仕事でしてね」

いかにも如才なく見える笑顔で「たのんます」と繰り返し、軽く拝む格好をして見せる滝沢を眺めながら、貴子は、こんなとき自分だったら、どう答えるだろうかと考えていた。良かった、今、目配せをされなくて。

それから滝沢は、事務局長の事件当日の行動を、時間を追って聞き出していった。職場を出た時間は、タイムレコーダーに記録されている。その後、どういうルートで家まで戻ったか。途中、寄り道をしたかどうか。帰宅時間。その後の行動。どんなテレビを観《み》て過ごしたか。就寝時間。翌日の出勤時間。事件を知ったのはいつか――。

貴子はそれを、素早くメモに書き取っていく。

「何しろ、昨日の晩飯のことだって、よく覚えてないくらいなんですから」

自分の手帳をのぞき込みながらも、質問の大半に「大体」とか「多分」などをつけて、曖昧《あいまい》にしか答えられなかった事務局長は、まるでもう自分が容疑者扱いを受けているかのような、怯《おび》えた表情になっていた。だが、既に十日近くが過ぎているのだから、本当は無理もない話なのだ。むしろそれを正直に言えるかどうかも、こちらとしては重要な観点になる。あまりにも整然とアリバイを述べられる人間の方が、普通に考えて不自然だからだ。

「じゃあ、あとは手の空いている人から順番に、呼んでもらえますかね」

提供された会議室に移動すると、滝沢は「ここは禁煙ですか」と聞いた後で、もう煙草を取り出しながら言った。

「介護スタッフは、勤務中は難しいと思いますよ。何しろ、忙しい仕事なんですから。こちらとしては、せめて、仕事の邪魔はしないでもらいたいんですがね」

そんなにも自分の受けた仕打ちが気に入らないのか、事務局長は、さっきまでの打ち解けた様子とは一変して、憮然《ぶぜん》とした表情になっていた。貴子は手元の時計を見た。事務局長と話しただけで、もう一時間以上が過ぎていた。そろそろ十時を回ろうとしている。

「夜勤明けで、まだ残っている人がいたら、その人からお願いします。それから、遅番の人で、そろそろ出勤してる人もいますよね」

手帳のページを繰り、それぞれのシフトの勤務時間を確かめながら顔を上げると、事務局長は自分も壁の時計を見て、ふん、と小さく鼻を鳴らした。彼が出て行くのを確かめてから、貴子たちは、さほど広くない会議室の奥の方に、少し離れて腰掛けた。

「まあまあ、えらいこと小心なおっさんだ」

滝沢が大きなあくびをしながら呟《つぶや》いた。小さく頷《うなず》き返し、コピーして渡された従業員名簿と勤務表を眺めながら、貴子も気分を変えるように一つ、深呼吸をした。果たして、この中に容疑者は紛れているだろうか。

「ここは、オバハンの多い職場なんだろう？　オバハンは、アリバイは適当でいいや。それよか、噂《うわさ》を聞き出す方に力を入れるこった。固有名詞を出させてな」

「――私が聞くんですか？」

思わず顔を上げると、滝沢はまたもや煙草《たばこ》を吸いながら、すっかり弛緩《しかん》しきったような表情で宙を眺めている。

「何しろ、よく喋《しゃべ》ったからな。のどが渇いちまったよ、もう」

そういえば、さっきから茶の一杯も出されていなかった。入居者には「様」をつけても、所詮《しょせん》、刑事に対する扱いなど、そんなものらしかった。

結局、その日、貴子たちは午後八時近くまで「はなみずき」に居座って、聴取を続けた。昼過ぎに簡単な昼食はとったものの、あとは会議室にこもりきりの状態だ。足を使って、ひたすら歩き回る聞き込みも疲れるものだが、一ヵ所にじっとして、次々に現れる人物に対して同じ質問を繰り返す作業もまた、嫌な疲れ方をするものだ。

「今日は、この辺で切り上げるか」

最初の数分だけはおとなしかったが、後は豆を撒《ま》くほどの勢いで、こちらから聞いてもいない噂話や、入り組んだ職場の人間関係などを、それこそ滝沢からもらい煙草までして喋りまくったホームヘルパーの女性が、やっと会議室を出て行ったところだった。滝沢がようやく「やれやれ」と声を上げた。待ちに待った言葉だった。

「さすがに、耳が疲れちまったよ」

別段、意地を張っていたつもりはないが、立場からしても、滝沢の方から言い出してくれるのでなければ、こちらとしては身動きが取れない。密《ひそ》かに安堵《あんど》し、ふう、と息を吐き出しながら、貴子も素直に頷いた。

「しっかし、よく喋るオバハンだわ」

滝沢は椅子の背に大きくもたれかかり、伸ばした両腕を頭の上で組みながら、のどの奥から絞り出すようなうなり声を上げている。

「大変な仕事だってことは、分かったが。まあ、どいつもこいつも、よく喋りやがる」

その言葉通り、滝沢の顔はいつにも増して脂《あぶら》ぎって、目の下から頬の辺りに、はっきりと疲労の色が見て取れた。ほどなくして八時を過ぎれば、今度は遅番勤務を終えた介護スタッフからも話を聞くことが出来るはずだ。だが、この後、九時から捜査会議が開かれる予定になっているし、何より貴子の方も、もう頭の芯《しん》が痺《しび》れるくらいに、重苦しい疲労を感じていた。つい、目元でもこめかみでも押さえたい気分のまま、今日一日で費やした手帳のページをぱらぱらと見返す。

「今のオバハンで、何人までいった」

「三十──三人、です」

「三分の一ってとこか」

だが、その中に当たりらしい人物は、いなかったと思う。今川老人に関する噂や人物評価などはずい分集まったが、事件そのものと関係のありそうな、これはと思う人物にも、それらしい情報にも行き当たらなかった。その徒労感が、この疲労の最大の原因となっている。

ずい分前から、ガラス窓にはぺたりと闇《やみ》が張りついている。その窓の向こうに、蛍光灯の白々とした明かりを受け、アザラシと並んでぼんやりと肘《ひじ》をついている自分が浮かんで見えた。照明の加減か、ずい分青白い顔をして、不健康そうに見える。

会議室を出るなり、滝沢は手洗いに寄ると言い出した。毎日のように通ううちに覚えた洗面所の場所は、貴子が教えてあった。滝沢が男性用の手洗いに消えるのを見届けると、貴子は、自分も足早に女性用に向かった。相手を待たせないように、さらに言えば、こちらも用を足していたと、悟られないようにしたかった。

もともと、こまめに化粧直しなどするタイプではないが、それでも手を洗いながら鏡をのぞき込んで、ついため息が出た。顔全体がテカっている。不景気そうな顔をして。とはいうものの、気持ちは急《せ》いているし、どうせ外に出れば、すぐに汗をかくのだ。とりあえず指先や手のひらで鼻の周辺の脂だけでも押さえる真似《まね》をして、手で髪を撫《な》でつけ、貴子は慌《あわ》ただしく手洗いを出た。

まだ、相方の姿は見えなかった。良かった、自分の方が早かったと、澄ました表情を作って廊下の掲示物などを眺める。ところが、滝沢は一向に出てこなかった。二、三分も待ったところで、貴子はまたもや「もしや」と思い始めてしまった。

――こんなフェイント、なしにしてよ。

それとも、館内でも歩き回っているのだろうか。辺りを見回し、背後を振り返ったりしながら、貴子は玄関に向かった。事務局に、まだ明かりが灯《とも》っていた。窓越しに覗《のぞ》いてみると、遠目にも事務局長と分かる髪型の男性が、一人だけ居残ってテレビを見ていた。こちらの気配に気づいたのか、彼はゆっくり振り返り、それから、いかにも大儀そうに立ち上がった。

「もう終わりですか」

「今日のところは。明日また、うかがわせてください――あの、ウチの――」

言いかけて、もう一度辺りを見回す。すると、廊下の向こうから、滝沢がタオルで手を拭《ふ》きながら、のしのしと歩いてくるのが見えた。何だ、まだ手洗いにいたのかと、気が抜けた。

「あれ、事務局長さん、まだお仕事で？」

さっきまで脂ぎって、ひどく疲れた顔をしていたと思ったが、滝沢は、妙にすっきりとした、愛想の良い笑みを浮かべている。

「普段は、もっと早いお帰りなんじゃなかったでしたっけ」

「刑事さんたちがいるのに、私だけ早く帰るってわけにも、いかないでしょう。何か聞かれたって、スタッフじゃあ答えられないこともありますから」

「ああ、そうでしたか。そりゃあそりゃあ、申し訳ないことをしました」

調子良く喋り始めた滝沢を眺めながら、微《かす》かにため息をついたとき、「おや」と思った。滝沢の髪の、鬢《びん》のあたりに水滴がついている。そう思って見ると、ワイシャツの襟《えり》も、微かに濡《ぬ》れているようだ。どうやらアザラシは、顔を洗ってきたらしい。

——男は、それができるからいい。

飲食店に行っても、おしぼりが出れば顔から首筋まで拭くことが出来る。親父《おやじ》くさいと馬鹿《ばか》にしつつ、こちらだって本当は羨《うらや》ましいのに。

「まあ、明日もよろしく頼んますよ」

意外に早く話を切り上げ、そそくさと玄関口に向かう滝沢に従って、貴子も足早にホームを出た。途端に、むうっとする熱気に全身を包まれる。

「ああ、畜生。日が暮れたって、まるっきり涼しくなんか、なりゃあしねぇな」

だが、闇は驚くほどに深かった。この界隈《かいわい》は、概してそういうものだ。下町というと住宅が密集していて、方々から子どもの声や生活の音が溢《あふ》れ、路地からは夕食のおかずの匂《にお》いなども流れてきて、ネオンやイルミネーションとは異なる、もっと人々の暮らしに近い、柔らかくて温かい様々な光が広がる地域のような印象がある。

貴子のいる隅田川東署管内でも、一部の商店街や地域などは、そんな印象通り、風《ふ》情《ぜい》ある下町の表情を見せる場所もある。だが、それ以外の地域は驚くほど静まりかえり、そして、夜は暗いものだ。夏だからといって窓を開け放ち、縁台で涼む人など、見かける時代でもなくなった。マンションが増えたせいで、軒の低い一軒家は、ますます闇の底に沈む。路地が入り組んでいる上に、街灯そのものも少なく、コンビニなども意外に見あたらないから、余計に暗いのだ。そして、ひたすら稼《か》働《どう》する冷房の室外機からの放熱ばかりが、密かなうなりと共に町を熱している。

「だがなあ」

ふいに、滝沢が話し始めた。何が「だがなあ」なのか分からないから、貴子は黙って滝沢と並んで歩いた。

「そう思わねぇか」

「何が、ですか」

「だから」

「今川さん、ですか」

「そうだろう？　思うだろう」

何を言おうとしているのか、まるで分からなかった。また何か試されているような、落ち着かない気分になってくる。疲れているときに、こういう駆け引きのようなゲームは嫌だった。貴子は大きく息を吐き出すと、半ば投げやりな気分で「分かりません」と答えた。これ以上、持って回った言い方をされるくらいなら、嫌みでも言われていた方が、まだましだ。だが滝沢は「そうだよなあ」と、頷きながらこちらを見る。

貴子は、さらに混乱しなければならなかった。

「分かんねえよなあ。そりゃあ、手のかかる爺《じい》さんだったんだろうし、まあ、エロ爺《じじ》ぃみてえな部分も、あるにはあったんだろう。だがなあ、だからって殺されるようなもんでも、ねえような気がするよなあ」

もう一度「なあ」と言われて、今度は貴子もはっきりと頷いた。

「それに少なくとも、あそこにいる人たちは、今川さんが認知症だっていうことを分かっている人たちですし」

「だよなぁ。まあ、残りの人間にも当たってみねえことには、分からんだろうが」

貴子が思っていた以上に、老人ホームでの今川老人の評判は芳《かんば》しいものではなかった。人を泥棒扱いする、癇癪《かんしゃく》を起こすと凶暴になる、しつこい、疑《うたぐ》り深い、わがまま、いばり散らす、その上に相手が女性と見るや、入居者であろうが職員であろうが、見境なく言い寄る——聞いているうちに、呆《あき》れるのを通り越して、情けない気分になったほどだ。

「あそこまで褒められない人っていうのも、珍しい気がしますよね。せっかくあの歳《とし》まで生きてきて」

もしも、あれが自分の父親だったらと思う。図らずも、あのような死に方をして、その上、後から聞かされる評判が、あんなものばかりだと分かったら、さぞかし、やるせない思いをしなければならないことだろう。つまりは今川季子が、そういう気持ちになっているということだろうか。葬儀の席で、あんなにも取り乱し、泣き崩れていた娘にとって、あの老人は、実際どんな父親だったのだろう。

「惚《ぼ》ける前は、もう少し違ってたのかも知れんがなあ」

「それに関しては、あそこのホームでは聞けないことですものね」

「他の班がどういうネタを拾ってくるかってとこだが」

静寂の中に、二人の靴音が響く。ふと、奇妙な気分になった。闇に包まれているせいだろうか、隣を歩いているのが滝沢などではなく、もっと他の誰かのような気がする。

「ああ、冷たいビールが飲みてえなあ」

だが、聞こえてくるのは相変わらずの濁声《だみごえ》だ。隣を見れば間違いなく、貴子よりも低い位置に、爬虫類《はちゆうるい》を思わせる目がある。

「なあ、それより、あんた」

濁声が貴子を呼んだ。この、あんた、と呼ばれるのにはどうも抵抗があった。それでも皮肉たっぷりに「女刑事さん」などと呼ばれるよりは、まだましだと思うからおとなしく返事をする。

「あんまり便所に行かねえな」

「そう――で、しょうか」

「夏は、水分をたくさん取らねえと、血がどろどろになるっていうだろう。たくさん取りゃあ、汗でも小便でも、出ることになってるんだから」

「そうですね」

「行けよな。ちゃんと。水分不足で、ぶっ倒れるよりは、よっぽどいい。熱中症とかで」

「そうします」

「大体、女は回数が多いってことに、なってんだもんなあ。ああ、これはセクハラなんかじゃあ、ねぇからな」

「分かってます」

今更恥ずかしがるつもりもないが、相手がアザラシだと思うと、やはり、何となく決まりの悪くなる会話だった。それでも一応は気遣われている。それが分かるから、下手に言い返すことも出来ない。相変わらず、どうにも調子が狂う。

汗をかきかき署に帰り着いて、冷たい麦茶を一息に飲んでから、手早く報告書をまとめているうちに、慌ただしく捜査会議が始まった。今日、貴子たちの班は、取り立てて報告すべき内容がない。ただ、今川篤行の老人ホーム内における評判と、事件直前などの様子について、簡単に発表して終わりだった。

「よし、ご苦労さん。次」

マイクから声が響く度に、報告の声が続く。だが、貴子たちの前に立ち上がった班も、後続の班も、いずれも内容は似たようなものだった。

「なるほど。ご苦労さんだった。次」

貴子の頭は、早くも明日のことに向かおうとしていた。要するに、今日は収穫ゼロだったということだ。そんな一日のことは、さっさと忘れてしまうに限る。気持ちを切り替えて、飽きず、腐らず、諦《あきら》めずに、また明日、新たな気持ちで仕事に取り組む。

たとえ、似たような話しか聞けないとしても。

滝沢の台詞《せりふ》ではないが、早く冷たいビールが飲みたかった。とはいえ、誰と飲んで帰る予定もない。家に買い置きは残っていただろうか。念のために、途中のコンビニで何本か買って帰ろう。さっさと帰ってシャワーを浴びたい。さっぱりしたところで、冷たいビールだ、などと考えていたとき、耳になじんだ声が「実は」と響いた。何気なく顔を上げると、貴子と共に捜査本部に召集されている玉城だった。

「これは、まだ未確認の情報でありますが、事件当夜、隅田川近くで、ガイシャの孫であります、今川良《りよう》らしい少年を見かけたという話を聞きました。事件発生直後に、母親の季子から聴取した時点では、事件当夜は自分も息子も家にいて、戻らない父親について、警察その他からの連絡を待っていたという話でしたので、矛盾があります」

途端に、告別式の日に、母親にもたれかかられていた小さな背中が目に浮かんだ。同時に、腹の奥からよじれるような感覚が上ってくる。ちょっと待ってよと言いたくなる。孫が？　あの？　その情報を、他ならぬ玉城が摑《つか》んできたということか。

「今川良は十四歳で、本来なら現在、中学二年生になっているはずですが、中学入学直後から不登校が始まり、以後まったく学校へは行っていないという話です」

何よ、それ。貴子はさらに背筋を伸ばして、報告を続ける玉城を見つめた。一体どういうことなのと言いたかった。

――だって私たち、何度もあの家に行ったわよね、一緒に。だけど。だけど、子どものいる気配なんて、まるでなかった。季子はいつでも、子どもは学校へ行っていると言っていたはずだ。あのとき常に、家の中には不登校の中学生が息をひそめていたというのだろうか。

筋違いだと分かっていながら、何だか玉城本人に裏切られたような、中途半端《はんぱ》に面白くない気分だった。貴子は、玉城と、彼の隣でわざとらしいくらいに真剣そのものの表情を作っている相方の捜査員とを、ほとんど睨《にら》みつけるような勢いで見つめていた。

「なるほど、ガイシャの孫、か」

捜査本部全体にも、ざわめきが広がり始めている。初めて手がかりらしいものが出てきた。それが、十四歳の、しかも孫とは。だが、今どきの少年なら、それくらいのことをしかねない。皆が、そう思っている。

「実際に、その可能性が濃厚ということになったら、生活安全課《セイアン》からの応援も必要になるだろう。ここは、明日以降、今川良の周辺を徹底的に洗うことだな。現在の交友関係、生活状況、さらに小学校時代の友人関係、近所からも、入念かつ極めて慎重に捜査を続けて欲しい」

了解、と答える玉城の声は、心なしか普段よりも弾んで聞こえた。

真《ま》っ直《す》ぐ帰るつもりで足早に署を出ようとしていたら、奈苗に声をかけられた。貴子は笑顔で「お疲れ様」と会釈《えしやく》をした。

「今日、もう上がり？　だったら、ご飯食べて帰らない？　家まで戻ってからだと、遅くなっちゃうでしょう」

それもそうだが、と手元の時計をのぞき込んでいたら、ぽんと肩を叩《たた》く者がいる。振り返ると、玉城が「俺も」と笑っていた。

奈苗と二人だけだと、またつまらない話を聞かされるのではないかと思ったのだが、玉城が一緒なら、かえって気が楽だ。それに、捜査本部が設置されて以来、こうして所轄《しよかつ》の仲間同士で食事をするのも、絶えてなかったことだった。

「さっきの話、本当なんですか？」

近くの居酒屋に落ち着いて、まずは生ビールで喉《のど》を潤《うるお》すと、貴子はすぐに切り出した。三人で乾杯をして同時に口をつけたのに、玉城は袖《そで》まくりをした手でジョッキを持ち、ほとんど飲み干すほどの勢いで、まだ喉を鳴らしている。

「さっきの話って？」

奈苗がわずかに首を傾《かし》げ、そして、貴子の視線をたどるように、喉仏を大きく動かしてビールを飲み続けている玉城を眺めて、くすりと笑った。

「暑かったからねえ。喉、渇いてたんだ」

貴子は、一応は笑って頷《うなず》きながらも、それだけではないのだろうと考えていた。彼は今日、ひょっとすると事件解決につながるかも知れない、糸口を摑んだ。淡々とした表情は普段のままだが、玉城なりに興奮していることは間違いないと思う。羨《うらや》ましいというか、悔しいことに。

「可能性としては、どう思います？」

ようやくジョッキを置いて、唇の上についたビールの泡を手の甲で拭《ぬぐ》っている玉城に改めて尋ねると、彼は、ふう、と息を吐き出した後で、わずかに首を傾げた。

「分からないな。今の段階では」

「でも、ネタの出所としては、確かなんですよね？」

「だから、何なのよ、ねえ」

今度は、奈苗はわずかに苛立《いらだ》った顔つきになった。貴子たちには守秘義務がある。だが、そのことを措《お》いても、たとえ同じ組織の人間に対してでさえ、自分が扱っている事柄に関しては極力、口外しないというのが常識だ。情報はどこから洩《も》れるか分からない。警察官同士だからといって皆が味方とは限らない。

だが、貴子はもう少しこの件に関して玉城と話をしたかった。それに、ここにいるのは他ならぬ奈苗だ。貴子たちが毎日のように今川篤行のもとへ通っていたことを、もっとも身近で見ていたし、さらに彼女自身も、今川老人の殺害現場には臨場した。捜査本部にこそ召集されていないものの、関係者といって差し支えないはずだった。

「ガイシャの孫のね、アリバイがなくてさ」

もう一度、奈苗が催促する前に、辺りをはばかるような低い声で、玉城が口を開いた。十四歳。引きこもり。それ以外は分からない。奈苗の表情が、次第に曇っていく。

「だけど、私たちは一度も会ったことないんです。あれだけ通ってたはずなのに、物音一つ聞いた覚えがないし、気配もしなかったと思うんですよね」

早くも二杯目のビールを注文した後、玉城は「でも、いたんだろうな」と呟《つぶや》いた。

「息をひそめてたんだ、多分。自分の部屋で」

貴子は、その少年の顔を記憶していない。ただ、告別式の時に、季子にもたれかかられていた小さな背中を覚えているばかりだ。明らかに幼さの残る背中だった。

「動機は？　自分のお祖父《じい》ちゃんを殺《や》らなきゃならないような、何かがあったわけ？」

冷や奴《やっこ》に醬油《しょうゆ》を垂らしながら、奈苗が玉城と貴子とを見比べる。

「分からない。今の段階で、乱暴なことは言えないけどね。ただ、即座に否定しきれない要素は、あるのかも知れない。普通に学校に通ってる子どもってわけでもないし、何かしら、屈折はしてるんだろうから」

言いながら、玉城がこちらを見た。そう思わないか。そうね。思わないこともない。割り箸《ばし》を持ったまま、貴子は今川家を思い浮かべた。

玄関口までしか入れてもらったことはないが、三和土《たたき》には常に何足もの靴が散らばっていたし、下駄箱の上の人形は埃《ほこり》を被《かぶ》っていた。何度訪ねていっても、正面の壁に掛けられた色紙の額は斜めに傾いたまま。廊下との仕切りに下げられていた玉暖簾《たまのれん》は、何本かの房から玉が抜け落ちて、白い糸だけになっていた。奥へ続く木の床はとうに艶《つや》を失い、玄関マットは黒ずみ、スリッパはつぶれているといった状態だ。それだけで、もう十分なほどに行き届いていない、どこか荒《すさ》んだ雰囲気が感じられた。

「確かに、子どもにとって居心地のいい家っていう感じでは、ないかも知れないです」

普段は母親と二人きりの生活。そこに、たまに老人ホームから帰ると、家中を引っかき回す祖父がいた。学校にも行かず、日々、苛立ちを募らせていたに違いない少年の目に、文句ばかり言う母と、あの老人の姿は、どのように映っていただろうか。

「でもさ、でもさ、自分もお祖父ちゃんを捜していたとも、考えられるんじゃないの？」

冷しゃぶサラダを人数分に取り分けながら、奈苗が口を開く。こういうところが、彼女はまめだ。貴子だって気が回らないわけではないつもりだが、いつも奈苗の方がひと呼吸早く動き出す。玉城が、またビールを注文した。

「それなら何も、ずっと家にいたなんて言う必要は、ないわけでしょう？　季子さん、そう言ってたんですものね」

軽く礼を言って、ごまだれのかかった豚肉に箸を伸ばしながら、貴子が答えた。玉城も無言で、うん、うん、と頷いている。

「と、なると、やっぱり何か事情があったっていうこと？　動機につながるような」

「まあ、それを、これから調べていくわけだけどね」

「生安《セイアン》からの応援って、いつから入るんでしょうね」

少年法が改正されて、刑事責任能力を問える年齢は、以前の十六歳以上から、刑法に準じた十四歳以上となった。つまり、今川良という少年が本当に祖父を殺害した場合でも、その刑事責任能力を問うことは可能になる。

　だが現行法では、十四、十五歳のいわゆる年少少年においては、まず原則として家裁の審判を仰がなければならない。そして、家裁が刑事処分相当と判断した場合に限って検察官送致となり、刑事処分が可能になるのである。この場合、最初の手続きから、何もかもが違ってくるために、どうしても専門知識を持つ人間が必要になる。これが、生活安全課の少年係というわけだ。

「まだ先のことだろう。もう少し容疑が固まってきたらってところだとは、思うけどね。捜査そのものは、俺らが続けて」

　玉城が、若鶏《わかどり》の唐揚げにレモンを搾《しぼ》りながら、汁でも飛んだかのように、顔をしかめた。

「何か、トンビに油揚げって感じねえ」

　奈苗がつまらなそうに呟き、それから、はっとした表情になって辺りを見回す。同じ職場の人間もよく利用する居酒屋だ。だが幸いなことに、今日は見かけないようだった。

「やっぱり最後まで、扱いたいわよねえ」

　奈苗の言うことにも、もっともな部分はあった。刑事には刑事の、仕事としての醍《だい》醐味《ごみ》がある。それが、五里霧中の状況の中から容疑者を割り出した瞬間だったり、悪あがきする相手に犯行を認めさせる瞬間だったり、逮捕を宣言し、時刻を読み上げ、手錠をかける時だったりするのだ。その快感があるからこそ、来る日も来る日も変わり映えのしない、何の収穫もない毎日にも耐えていられるし、誰からも滅多に歓迎されることのない、地味な仕事を続けていられる。

それが、ようやくホシを割り出してみれば相手は年端《としは》もいかない子どもで、その後の扱いは、すべて他人《ひと》任せにしなければならないとなったのでは、どうにも後味が悪いに決まっていた。法律に則《のっと》って、それぞれのプロが自分たちの仕事を全うすれば良いことだと、理屈では分かっていても、本心ではやはり、面白くないものだった。被疑者本人と向き合って、納得のゆく話を聞き出せないことも、相手の人間性を見極められないことも、その後の処遇についても、すべてに関して、何となくヴェールの向こうに隠されてしまうような印象で、今ひとつ釈然としない、不完全燃焼の気分だけが残るからだ。

「そう考えると、やっぱりホシは別人の方がいい、とか？　きっちり大人のさ」

「こればっかりは、俺らの都合で、どうにかなるもんでもないからね」

「振り出しに戻ったら戻ったで、これもまた、気が重いですものね」

小さくため息をついたとき、茶そばが運ばれてきた。もう十一時を回っている。さっさと平らげて帰らなければ、明日に響く。貴子が慌《あわ》ただしくそばをすっている間も、やはり玉城はビールを飲んでいた。

〈――帰りの時間はギリギリだったけど、久しぶりに同年代の人と話せたって感じで、幾分スッキリです。何しろ、毎日顔をつき合わせてるのがアザラシでしょう？　玉城さんがいてくれたお蔭《かげ》で、奈苗さんから余計な話も聞かずに済んだし、ちょっとしたストレス解消でした。

ところで。ねえ。昂一くん。

そんなに長く離れてるわけでもないのに、今日、私、玉城さんと食事してるとき、何だか懐《なつ》かしかった。ほっとした。単なる同僚でさえ、そう感じるんだから、昂一が帰ってきたら、どんな気持ちになるんだろう？　今はまだ、想像もつかないけど。今日も一日、暑かった。明日もきっと灼熱《しやくねつ》地獄でしょう。そっちは？　いい加減、日本食が恋しくなったりしないのかなあ。お刺身、冷や奴、枝豆にビールとか。蚊取り線香の匂《にお》いとか。藺草《いぐさ》のゴザとか。花火とか――〉

家に帰って、何日かぶりに昂一にメールを打っているうち、そういえば隅田川の花火大会が近いことを思い出した。やれやれ、ついこの間、お花見騒ぎで駆り出されたと思ったら、もう花火だ。そのとき、貴子は警備本部に駆り出されているだろうか。明日以降の捜査で、本当に今川良の容疑が濃くなれば、その可能性もある。

——十四歳。

やはり、貴子が探し当てたネタでなくて良かったかも知れない。奈苗の台詞《せりふ》ではないが、最終的に「トンビに油揚げ」というのも愉快ではないし、第一、そんな少年の周辺を洗わなくてはならないのは、やはり、あまり気乗りがしない。

その日はベッドに入ってからも、貴子の脳裏には、今川篤行の家と、季子の顔ばかりが浮かんだ。もしも、自分の息子が犯人だということになったら、季子はどうなってしまうのだろうかと考えると、どうしても憂鬱《ゆううつ》になる。

——だから。

ああ、だから、今夜の玉城はあんな勢いでビールを飲んでいたのかも知れない。手柄に近づいた興奮のためではなく、その憂鬱のためだったのではないかと、初めて思いが至った。いや、きっとそうだ。彼は、そういう刑事だ。

——いいヤツなのよ。そういう人を私が、男として意識し始めたら、まずいと思わない? 分かってる?

大きく寝返りを打ち、タオルケットから出た足でシーツの冷たいところを探りながら、貴子は、今度は昴一に話しかけた。

——逃がした魚は大きいって言葉、知らないわけじゃないでしょう? 後悔したい?

だが、果たしてどちらが後悔するのだろうか。今のままだと、どちらが、どんな後悔をすることになるのか——。

いずれにせよ、こんな風に気を揉《も》ませてばかりいるのではなく、時には安らぎを与えて、甘えさせてくれるのでなければ嫌だ。触れ合って、温《ぬく》もりを感じさせてくれるのでなければ、つまらない。そうでなければ、たとえ本心から望んでいるのでなくとも、いつか離れざるを得ないのではないかと思う。何しろ、互いに気心の知れた相棒が、常に、すぐ傍にいる。熱情は生まれなくても、落ち着きと安心が、そこにあるようにも思う。独身。健康。京大卒。乗り替えるには最高の相手かも知れない。

——私さえ、その気になれば。

眠りに落ちる寸前には、そんなことまで考えていた。わざと、相手を試すような台詞を口にして、慌てるか、または怒るかする昴一の顔を見たいとも思った。本気で言喧嘩《けんか》しているのかと、声を荒らげて欲しかった。こんなに離れているくらいなら、ている方が何倍も良かった。

翌日も、貴子は滝沢と共に「ハッピーライフはなみずき」に出向いた。昨日と同様に聞き込みを続け、特別な収穫もないまま昼を過ぎて、午後の時間も過ぎていった。

「疲れてるとこ、すんませんね」

やがて、早番で勤務に入っていたスタッフの手が空く時間になった。もう何度目か分からないくらいに会議室の扉が開かれ、見知らぬ顔が現れる。

滝沢が声をかけたのは、どこか幼い印象の小柄な女性だった。おずおずと会議室に入ってきて、滝沢が指した席にちょこんと座り、彼女は、ひどく小さな声で名前を名乗った。岩松《いわまつ》みう。二十六歳。職員名簿をチェックすると、契約社員となっている。資格は、ホームヘルパー二級。

「デートの約束でも、してるんじゃないですか。大丈夫？」

岩松みうは、身体《からだ》を縮こませるように肩をすくめ、両手をそろえて小さく首を振る。どう見ても、凶器を振り回して老人を殴り殺せるとは思えないタイプだった。と、なると、アリバイ確認よりも、情報収集に的を絞ることになるだろうかと考えていたら、蚊の鳴くような小さな声が「あの」と聞こえた。

「私、何で呼ばれたんですかね」

そばかすだらけの、小さな顔だった。滝沢が「それはねえ」と、ぞっとするような猫なで声で応《こた》える。

「ちょっとだけ、お話を聞かせてもらえないかと思ってね。もう、簡単な」

「あの、でも――」

「大丈夫、大丈夫、そう緊張しないで、ね。じゃあ、ちょっとリラックスしようか」

「そうじゃなくて」

岩松みうは、何かの小動物のように、落ち着きなく何度も瞬《まばた》きを繰り返し、それから顎《あご》を突き出すようにして、「だって」と、わずかに語気を強めた。

「あの日のこと、聞いてんでしょう? 何してたか、とか」

「そうそう、だから――」

「でも、私、あの日、夜勤だったんだけど」

唇を尖《とが》らせている、一見、年齢不詳の娘を見つめ、それから貴子は、我に返ったように滝沢と顔を見合わせた。急いで目の前に広げてある出勤簿のコピーを繰る。

「でも、あの日、夜勤だったのは、森《もり》さんと、大倉《おおくら》さんと、ええ――長尾さん、じゃあ、なかったんですか?」

「替わったんですよね。頼まれて」

「どなたと」

「広士くん。長尾、広士」

貴子の頭に、大柄で無愛想な青年の姿が思い浮かんだ。

3

澱《よど》んだ空気が充満して、その上に錆《さび》でも浮いてきそうな感じだった脳味噌《のうみそ》が、一瞬のうちにぎし、ぎし、と回転を始めた気分だった。滝沢は、目の前にいる顔色の悪い娘を、じっと見据えた。

「でも、この記録だと、そんな風になってないわけだよねえ。それは、何でかね」

音道の前に置かれていた出勤簿を引き寄せてのぞき込み、滝沢は、改めてぐっと身を乗り出した。密《ひそ》かに大きく息を吸い込む。だが、岩松みうは、まるで滝沢の眠気が移ったかのような、半ば面倒くさそうな表情で「さあね」という答え方しかしなかった。

何だ、この娘っこは。ちっぽけで頼りないガキかと思えば、なかなかどうして、ふてぶてしいではないか。

「さあねってこたぁ、ないやな」

「だって、事務局のことなんて、よく知らないから。多分、その日になって、急に頼まれたからじゃない？」

「その日になって？」

「そうだよ。だから私、今日みたいに早番が明けて、そのまま少しだけ休んで、また入んなきゃならなかったんだから。まじで」

「へえ、そういうことが、あるのか」

外見も口調も、どこか中途半端《はんぱ》な、大人子どものような岩松みうを見つめながら、滝沢はつい、自分でもわざとらしいと分かるほどの愛想笑いを浮かべた。

「その、長尾って人は、あれかね。何でまた急に、あんたに仕事を替わってくれなんて、言い出したんだろうな」

岩松みうは、肩をすくめるようにして「知らない」と答える。ふうん、と頷《うなず》きながら、滝沢はちらりと隣の音道を見た。わずかに唇を噛《か》むような顔つきで、やはり真剣に岩松みうを見ていた彼女が、滝沢の視線に気づいたのか、一瞬こちらを向いた。その目が、何か言っている。え、なんだ、と聞きたかったが、口に出来ない。次には、さらに視線に力を込める音道と睨《にら》めっこしていても、どうしようもない。

「そういうことっていうのは、よくあるのかね。急に交代してくれ、なんて」

「別に、珍しいことでも、ないけど」

「長尾って人に関して？」

「広士くんだけじゃなくても、色んな人同士で。うちらの業界は、結構、歳《とし》がいってるっていうか、結婚してる人とかも多いから。子どもの学校に行かなきゃなんないとか、自分とこのお祖母《ばあ》ちゃんが風邪ひいたとか、そういうことって、色々あって」

「そうすると、勤務を替わるわけか」

「だって、うちらの仕事って、一人でも人数が減ったら、その分、受け持ちが増えて、大変なわけ、めっちゃ。それが分かってるから、仲間内でやりくりしてるって感じ」

こんな若い世代が福祉業界で働くというのは、ある意味で頼もしいものの、何となく気の毒な気もした。同じ世代の娘の中には、下着にしか見えないような薄っぺらい服装で、肩でも胸元でもむき出しにして、ひらひらと遊び回っている者も少なくないというのに。

「しかし、偉いもんだよなあ。若いのに」

すると、岩松みうは、何ともいえない顔になった。甘いと思って口に放り込んだ食べ物が、予想に反した奇妙な味だったというような顔だ。

「やっぱ、好きなのかね、福祉の仕事が」

「私？　べつに」

大人子どものような娘は、今度はわずかに唇を尖《とが》らせて、天を仰ぐようにしながら足をぶらぶらとさせ始める。

「まあ、お爺《じい》ちゃんとかお婆《ばあ》ちゃんとか、可愛《かわい》いと思うときも、あるけど」

「可愛い？　老人が？」

「だって、結局は皆、赤ん坊に戻るんだから。若い頃はどんなだったか知らないけど、泣くし、甘えるし、駄々こねるし、自分じゃ何も出来なくなったりして」

それを可愛いと思うものかと、奇妙に居心地の悪い気分になった。滝沢だって、あと十五年もすれば、こういう場所に入居する資格を手に入れる年齢になる。十五年など、あっという間だ。

たとえば老人ホームで余生を過ごすことに決めたとして、やがて自分でも気づかないうちに痴呆《ちほう》への道を歩んだとき、こんなケツっぺたの青いガキに「可愛い」などと言われることにでもなったら、どうだろうか。冗談じゃあ、ねえや。少なくとも、今はそう思う。本当に呆《ぼ》けきってしまえば、そんなことも分からなくなるのだろうが。

「だけど、べつに好きでやってるってわけでも、ないけど」

微《かす》かにため息をついて、岩松みうは、「しょうがないからね」と呟《つぶや》いた。それから、ちらりと滝沢を見、少し考える顔をした後で、もう一度、肩を上下させて息を吐き出す。

「警察の人って、秘密とか、守る？　まじで」

「おう、守るよ。それが仕事だ」

咄嗟《とっさ》に答えたが、内心では「おっと」という気分だった。いいぞ、いいぞ。何を言い出そうというのだ。どんな秘密の暴露を聞くことになるのだろうか。

「なんで。どうしたい」

岩松みうは、もじもじと身体《からだ》を動かして、少しの間、何か迷う素振りを見せる。

「遠慮しないで、いいんだぞ。何でも、言ってくれて」

小さな肩を上下させ、ため息をついてから、みうは「だったら言うけど」と口を開いた。

「どうせ、調べれば、すぐに分かっちゃうことだからさ。だけど、まじ、秘密だから。特に、ここの人とか。絶対」

「分かった分かった。約束するよ」

滝沢は、岩松みうと正対しないように身体を斜めに向かせた。真正面から向き合ったままだと、相手が緊張するからだ。

「そんで？」

「つまりさ――私なんか、中学もろくに行かなかったクチだしさ」

「何だよ、引きこもりか？」

「んなわけ、ないじゃん。逆、逆。家にも寄りつかないっていうの？　あっちね」

ははあ、なるほど。

そういうことか。道理で、滝沢たちが見慣れている部類の娘っことも似たような目つきをしているわけだ。

「すると、おじさんみたいな職業の人とも、何回か会ってたり、するってわけかい」

「会ってる、なんてもんじゃない」

岩松みうは、また「まずそうな」顔をした。どうやら、それが笑顔らしい。不細工なのだから、せめて笑い方くらい研究しろよ、と言ってやりたいような、情けない笑顔だ。

「で、院でさ、取ったのが、この資格」

「院？　何だよ、おい。少年院まで入ってたのか」

すると岩松みうは、「へー」などと言いながら、わずかに照れくさそうな表情になって身体を左右に揺らす。「まずそうな」顔は、泣き顔に見えなくもない。

「で? 何、やらかしたんだい」

「そんな、大したことは、してないんだけどさ。一応、傷害と、覚醒剤《かくせいざい》」

背後で、音道の気配が微かに動いた。やめてくれよ、ここで、あからさまに相手を小馬鹿《こばか》にしたような、または説教臭い顔でもされては、やりにくくなる。滝沢は、わざと大きく姿勢を変えて、今度は音道の方を向いた。だが女刑事は、うつむきがちにメモをとり続けているだけだ。滝沢の方さえ、見もしない。

「どこの院に入ってたんだい」

「狛江《こまえ》」

「いくつんとき」

「十六」

「どれくらい、入ってた?」

「一年半」

「それ一回っきりかい」

岩松みうは、今度は神妙な面持ちで頷いた。

「何か、バカバカしくなったから。院の先生も、もっと自分のこと大切にしなさいって、何回も言ってたしなあ、とか、思ったし」

「きっかけは、何だったのかな」

「きっかけ?」

「ああ。悪くなる、きっかけは、さ」

みうは、また唇を尖らせて、考える顔つきになる。だが、さほど間を置くこともなく、「あのさ」と、諦《あきら》めきったように口を開いた。彼女は、小学五年生の頃から、母親の再婚相手から性的暴行を受けていたのがきっかけだと、淡々と語り始めた。義父から継続的に性的暴行を受けていることについて、思いあまって母親に相談したものの、母はまったく信用してくれなかった。それどころか、みうに敵意さえ抱くようになったことで、彼女は居場所を失い、家にも寄りつかなくなった、ということらしい。

「まっ、よくあるパターンってヤツ? そんなに珍しい話じゃないってことが、院とかにいるとよく分かるけどね」

「なるほどなあ。苦労してんだなあ」

「そうでもないって」

滝沢は腕組みをしたまま大きく背をそらして、「ふうん」と何度も頷いた。

一年半を過ごした女子少年院を退院してみると、母は男と別れ、一人に戻って娘を待っていた。そのことで、みうの気持ちもようやく解《ほぐ》れ、もう一度、親子らしい関係を築けるのではないかと期待したという。ところが、それから間もなくして、母はまた、べつの男と一緒に暮らし始めた。

「何だ、この人、全然変わってないんじゃんって、思った。もう、あてにしてちゃ駄目なんだって。そんで、家出たわけ。そうなったら男に頼るか、まじで働くしかないわけじゃん。だけど、その当時つき合ってた男はパチンコ狂いで借金まみれだったし、風俗とか水商売とかは、やっぱ、どうしても気持ち悪いっていうか、駄目だったから。一応、ちょっとは、やってみたんだけどね。そうなったらもう、ヘルパーの資格しか、役に立つもんがないわけだからさ」

女子少年院に入院中に、岩松みうはホームヘルパー三級の資格を取得していた。二十二、三歳を過ぎた頃から、ようやく落ち着いて訪問介護の会社で働くようになり、職場は何度か変わったものの、その後、二級の資格も取って現在に至るということらしい。幼く見えるが、もう二十六になった、と彼女は恥ずかしげに言った。

「偉いもんじゃないか」

みうは、また妙ちくりんな笑い顔になる。おそらく幼い頃から、あまり笑わずに育ったのだろう。だから、笑顔がぎこちなく見えるのだ。

「だけどまた何で、おじさんたちに、そこまで聞かせてくれたんだい」

「決まってんじゃん、疑われたくないから」

「だって、その晩は夜勤だったんだろう？」

岩松みうは、「そうだけど」と、またもじもじとし始める。

「アリバイ工作とかだと、思われるかも知れないから」

「アリバイ工作？　何のために」

みうは、ひどく言いにくそうな表情で「だって」と呟いた。

「これも、そのうち分かっちゃうと思うから言うんだけど。私が、あの爺さんのこと嫌ってたのは、結構、色んな人が知ってることだしさ」

「爺さん？　今川さんか。何で」

「だって、エロいじゃん！　私、どうしても嫌なんだ、いくら冗談でも、呆けてるって分かってても、急にあそこ見せられたり、身体を触られたりすんの」

なるほど、そういうことか。ことに、つらい過去を背負っている彼女にしてみれば、たとえ相手が老人でも、気味が悪かったのに違いない。

「あんな爺《じじ》ィ、さっさと死ねばいいのに、とか、言ったこともあるし——」

「口に出して？」

「だって、こっちが一生懸命、世話してんのに、後ろから抱きついてきたりとか、するんだから。『触らせろ』とか言っちゃって」

みうは、今、目の前に下半身を出している老人がいるかのような表情で、身震いまでしている。音道が、ちらりとこちらを見た。滝沢は、思わずその視線を外してしまった。まるで、この滝沢が下半身でもむき出しにして、それを咎《とが》められてでもいるかのような、妙な後ろめたさに似たものがこみ上げた。

「だけど、まじ、殺そうなんて、考えたこと、ないよ」

ふん、ふん、と頷《うなず》きながら、滝沢は、今度は自分の方から隣を見た。音道は、こちらの視線を受け止めると、わずかに背筋を伸ばして「ねえ」と、みうに向かって口を開いた。

「ここで、たとえば誰に、そんな話をした？　その、今川のお爺ちゃんの話」

テーブルに両肘《りょうひじ》をつき、小首を傾《かし》げて、音道は実に穏やかな口調で話し始める。へえ、こういう話し方をするヤツだったろうか。こんな話し方が出来るのか。それなら、普段からもう少し何とかしてくれても良さそうなものだ。

「他のスタッフの中にも、あなたと同じように嫌な思いしてる人って、結構いたはずでしょう。そういう人たち？」

岩松みうは、「うーん」と小首を傾げる。

「下手な相手に言うと、かえってヤバいんだよね。事務局に密告《チク》られる場合もあるし。そうなると、オーナー様に不愉快な思いをさせたらいけません、とか何とか言われるか、下手すると、契約を打ち切られたりするから」

事務局長の顔が思い浮かんだ。あのハゲ頭なら、いかにもネチネチと、そんなことを言いそうだ。

「それに、おばちゃんヘルパーの中には、何ていうかなあ、返ってくる言葉が、結構、どぎつかったりする人もいるから」

「どんな風に？」

すると、みうはまた顔を歪《ゆが》めた。今度は笑っているのではなく、本当に不快そうな顔だ。

「皆が皆ってわけじゃないけどね。中には、そういう人もいるって話ね。たとえば――『せっかく向こうが出してくれてんなら、使わしてもらいなよ』とか。『握ってやるだけでいいんだから』とかさ、言うわけよ」

今度は昨日今日と、この部屋で事情を聞いてきた介護スタッフのうちの、何人かの女性の顔が思い浮かぶ。豪快というか、百戦錬磨というか、恐ろしくタフに見える中年の女が何人かいた。こちらの質問に対する答え一つにしても、どこか開き直ったような、または、えげつない雰囲気を感じさせたことは確かだ。

「それに、すぐに噂《うわさ》が広がるから。それも、少し変な形になって。何日かすると、べつの人から『触ってやったんだって？』とか聞かれたりすると、もう、まじ、ムカつくし」

あの手の女たちにかかってしまえば、いくら以前、少しばかりワルかったとしても、こんな小娘程度では、とても太刀打ちできるものではないに違いない。いや、男だって、滅多にかなわないだろう。要するに、怖いものなしの女たちだ。

「じゃあ、誰に話してた？」

「意外に、男の人の方が、結構ちゃんと聞いてくれるから――広士くんとか」

「広士くんね。長尾くん」

「広士くんだったら、絶対にチクるような真似《まね》もしないし、シフトが同じときには、そういう嫌な爺ィの担当は、自分が受け持ってくれたりするしね」

音道は、大きく、うん、うん、と頷きながら「そうなんだ」と相槌《あいづち》を打っている。

滝沢としては、少しばかりガキ扱いし過ぎたのではないかというくらいに優しくしたつもりだったが、岩松みうは滝沢と話しているときよりも、どことなく打ち解けた表情に見えた。もしかすると、基本的に男性に対する不信感や恐怖心があるのだろうか。彼女の経験を考えれば、それも十分に考えられる。特に、父親のような年代の男に。

「あなたから見た感じでいいんだけどね、今川のお爺ちゃん、長尾さんをどう思ってる感じだった？　よく怒ったりしてなかった？　実をいうと、私も一度だけ、見たことがあるんだけど」

「そんなの、しょっちゅうだよ。怒鳴ってたし、殴りかかろうとしたり。一度なんか重たい本を投げつけられて、表紙の角が当たって、顔を切ったりしたこともあったくらいだしさ」

「そんなことまで、あったんだ。嫌いだったのかな」

「多分。いくら怒鳴ったり暴れたりしても、広士くんの方が、まるっきり怖がらないからね、余計にムカツいたんじゃないかな」

「へえ。怖がらないんだ。その、本を投げつけられたときも、怒ったりはしなかったの？」

岩松みうは、ふう、と小さく息を吐き出して、それから伏し目がちに何か考えている。

「あの人は、そんな程度じゃ、びくともしないんじゃない?」

「怪我《けが》までさせられて?」

「根性の入り方が違うから」

「根性? そうなの?」

身体《からだ》を斜めに向けたまま、滝沢は腕組みをして、「そりゃ、そうでしょ」と応《こた》える
岩松みうを見ていた。

「確かに、長尾さんって強そうな人だよね。身体も大きいし、いかにも格闘技とか、
やっていそうな感じで」

「まあ、そんなところだよね」

「何、やってたんだろう」

すると、天井の方を向き、足をぶらぶらさせていた岩松みうが、これまでとは異なる、どこか誇らしげな、娘らしい表情を垣間見《かいまみ》せる。ははあ、これは、惚《ほ》れてるな。

その、長尾広士とやらに。中年親父《おやじ》は駄目でも。

「秘密?」

「秘密っていうか——私が喋《しゃべ》ったって分かると、まじ、怒られるかもしんないし」

「それは心配ないったら。私たち、秘密は守るもの。こっちの刑事さんも言ったでしょう？　それが仕事だって」

「だけどさあ――こんなこと喋っちゃうと、じゃあ、うちらの業界って、とんでもないヤツばっかり働いてんの、みたいに思われたら、それも、まじ、困るしさあ」

「そんな風に、思うわけないわよ。ねえ、そうですよねえ？」

ふいに話題を振られた。滝沢は一瞬、虚を衝《つ》かれた気分のまま、反射的に「おう」と頷いた。

「あんただって今は、立派にこういう仕事を続けてるんじゃないか、なあ。とんでもないヤツなんて、誰一人として、思うヤツは、いないよ」

岩松みうは滝沢と音道とを見比べて、初めて安堵感《あんどかん》を漂わせ、ふう、と息をついている。

「要するに、ヘルパーとかって、学歴も何も関係ないわけじゃん？　講習さえ受ければ一応、資格は取れるんだし、それなりに続けてれば、上の級だって、そのうち、ケアワーカーの資格だって取れるようになるし」

「そうなんだ」

「だからっていうか、まあ、色んな人がいるわけ。うちらみたいに、どっかの施設で資格取ったのも結構、いるだろうし。旦那《だんな》が借金作って逃げちゃったんだけど、歳《とし》も歳で、他に仕事がないから、とか。自分の親の面倒見てるうちに詳しくなったから、とか。昼間は別の仕事してて、もっと稼ぎたいから夜勤専門でやってる、とか——もちろん、ちゃんと福祉の学校とか出て、きっちり勉強して、資格取ってきた人とかも、山ほどいるんだけど」

だから、自分も含めて、あまり過去の話をしたがらない人間も、さして珍しくはない、と岩松みうは言った。

「じゃあ、長尾くんは？　自分の過去の話とかは、する？」

再び音道が口を開く。岩松みうは、曖昧《あいまい》な表情で小さく首を振った。

「だけど一回だけ、言ってたことがある」

「なんて？」

「『俺も結構、色んなとこ、出たり入ったりしてたから』とか何とか」

「すると、要するに、だ」

滝沢は腕組みをしたまま、岩松みうを見た。

「こういうホームっていうのは、あれかね。雇っているスタッフの経歴については、そんなに細かく詮索《せんさく》しないもんなのかね」

みうは、そうではないと首を振った。

「うちら、派遣社員だから」

「派遣社員だと、どうなんだ?」

「履歴書は、派遣会社しか見てないってこと。ここのホームは、契約してる派遣会社を信用して、派遣されてくる人を使うだけだから、履歴書は見てないんだよね」

なるほど、そういうことか。だからこそ、さっきから彼女は「秘密」とか「内緒」を連発しているのだ。

「じゃあ、その——何だっけか、広士くん、なあ、彼も、そういう派遣会社から来てるのかね」

「あの人は、ここの正社員」

「あれ? だけど、あんた、さっき、彼も色んなとこ、出たり入ったりしてたって言ったよなあ? それは、確かなんだろう?」

岩松みうは、少しばかり当惑した表情のまま小首を傾げていたが、それは間違いないはずだと言った。

「刑事さんなら、分かるでしょう? 目つきとかさ。うちらはお互いに、匂《にお》いっていうか、そういうのでも、何となく感じるから。ああ、やること、やってきてるなあって」

「すると、やっぱり、そういう人間でも雇ってるってことかな」

今度はみうは大きくかぶりを振る。そして、このホームの経営母体となっている不動産会社が、雇用に関しては厳しく管理しているため、基本的には身元が不確かだったり、前科前歴のある人間などは、採用は不可能なはずだと言った。

「だけど今、うちらの業界って人手不足だしね、どこでも募集かけてるから。特に、男のスタッフは少ないから、貴重なんじゃないかなあ。履歴書だって、べつに全部、正直に書いてるかどうか分からないかも知れないし」

滝沢は「なるほどなあ」とうなずき、また隣を見た。すると音道は、ちらりと壁の時計を見る真似をする。そういえば、少しばかり長話になった。

「なあ、みうちゃんよ。

「今？　一人だよ。ハムスターがいるけど」

「ハムスターと同居か、へえ。結婚、しないのかい。お年頃だろう」

「相手がいないもん」

また「まずそうな」顔をする。滝沢は、よし、と言いながら立ち上がり、机を回り込んで岩松みうの横に立った。

「その気になりゃあ、あんたなら、すぐに見つかるよ。まあ、誰だって欠点の一つや二つくらいはあるもんだけどな、あんまり贅沢《ぜいたく》言わないでさ、顔形にばっかり惑わされないで、働き者で正直な男を見つけるといい」

「けど、男なんて、一皮剝《む》けば一緒なんじゃないの?　『灰になるまで』って、ここのオバチャンたちも、言ってるもん」

「そういうのも、いるさ。だけど、そんな野郎ばっかりじゃあ、ない。いい相手、見つけてさ、亭主にそっくりの赤ん坊でも産んで、なあ、幸せになんなよ」

軽い気持ちで、ぽん、と肩に手を置くと、薄手のTシャツを通して、細い骨の感触が当たった。こんな体格で、よくもまあ、重たい人生を背負ってきたものだ。その上、今は老人たちの世話に明け暮れて。

最後の最後まで、「内緒だから」「秘密だから」と念を押していた岩松みうを送り出して、ついため息をつきながら振り返ると、音道がこちらに身を乗り出していた。

「彼です、長尾広士」

気分転換のつもりで窓辺に立ち、わずかに夕方の気配を見せ始めた薄青の空を見上げながら、滝沢は煙草《たばこ》をくわえた。

「彼って」

深々と吸い込んだ煙をゆっくり吐き出していると、背後から「ほら」という声が被《かぶ》さってくる。

「覚えてないですか。ガイシャの告別式のときに、他のスタッフと一緒に参列してた、大柄な」

その途端、黄色っぽく染めた髪が頭上で四方八方に飛び跳ねている、ガタイの良い男を思い出した。まるで、パイナップルのような頭だと思ったものだ。

「あいつ、か」

それを伝えたくて、さっき音道は、しきりにこちらを見ていたのかと思った。なるほど、あの体格なら、棍棒《こんぼう》だろうが金属バットだろうが、何度でも振り回せるだろう。ホシと仮定すれば。

「こうなると、野郎がてめえのアリバイについて、どんな話を聞かせてくれるかが、楽しみになってくるな」

「でも、今日中に話を聞けるかどうか。時間もあまりないですし、今さら、下手に事務局に確かめたりするのも、まずいかな、と」

「当たり前だ。そう焦《あせ》ることたあ、ねえよ。じきに聞くことになるんだ。それよか、ガイシャと野郎の関係を、ちょっとばかり探ろうや」

振り返ると、音道は「はい」と頷《うなず》きながら、手元の手帳を見返している。細く開けた窓からは、ひと際《きわ》大きな蟬《せみ》の声と、かき氷を食った後に飲んだ水道水のような、生ぬるい空気が滑り込んできていた。

その窓の隙間《すきま》から、ふう、と煙を吐き出し、滝沢は、黙って手帳を見ている音道を、しばらく眺めていた。おばさん、と呼ぶには気の毒だが、娘、と表現するには少しばかり落ち着きすぎだ。第一、今さっきの岩松みうへの対応の仕方など、かなり堂に入ったものではなかったか。

「なあ」

「はい」

「どう思った、今の」

「岩松みう、ですか」

「あんたの目から見て、どうだい、ああいうのは」

すると音道は、すっと顔を上げてこちらを見る。少し考えるように、わずかに視線をさまよわせ、それから彼女は、「嘘《うそ》はついていないでしょう」と言った。そんなことは分かっている。それを聞きたかったわけではない。あんな生き方をしなければならなかった娘を、どう感じているかということを、聞きたかったのだ。だが滝沢は、こちらを見ている音道から視線をそらして、自分の席に戻った。

「まあ、そうだろうな」

質問の意図が分からない相手とは思えない。となると、見事にはぐらかしたことになる。どうしてだ。何かを警戒しているのだろうか。それが、分からない。これが男同士なら、時には下種《げす》の勘繰りに近いようなことまで、ああでもない、こうでもないと感想を言い合うものだ。そんな中から、互いの観察眼の確かさを推し量り、絆《きずな》を深める。ことに若い頃には、先輩刑事の技術のようなものを学ぶ機会でもあった。

だが、まあ、そんなものかも知れなかった。この辺りが、女の限界ということなのだ。第一、まさか、この堅苦しい顔をした音道相手に、たとえ冗談や話の弾みでも、女のまたぐらの話など、出来るはずもない。

「あーあ」

面白くねえ、と呟《つぶや》きそうになり、つい頭の後ろで手を組んで身体を反らしたとき、音道がすっと立ち上がった。

「次の人、呼んできます。あと、飲み物でもどうですか」

昨日から、この老人ホームでは茶の一杯も出されてはいなかった。代わりに、自動販売機の場所を知っているという音道が、頃合いを見計らってはペットボトルの茶を買いに行く。その辺りのタイミングは、さほど悪くはない。

音道が会議室を出て行った後、滝沢は、机の上に置かれたままになっている音道の手帳に、何気なく手を伸ばした。ぱらぱらとページをめくると、滝沢と違って、他人からでも判読できる文字が並んでいる。書き込みのある最後の方に、つい今し方まで話を聞いていた岩松みうの氏名が、四角で囲んで書かれていた。そこからが、岩松みうに対する聞き込みのページらしい。

さっき、滝沢も聞いた内容が箇条書きにされ、時には括弧や矢印つきの書き込みが加わっていた。そして、それらの所々に「暴行体験」「心の傷」「ぎこちない笑顔」などという文字が、行からはみ出したり、時には丸で囲んでちりばめられている。さらに、長尾広士の名前に向かっては矢印が引かれた上で、「恋心?」ともあった。

何だ。音道も似たようなことを感じているのだ。それなら、なぜ言わないのだろうかと思いながらページを繰ると、次に「why?」という書き込みがあった。

「A、最後に結婚をすすめる。無神経?」

何だ、俺のことか、と思った。間違いなく、さっきの滝沢のことだ。そして、音道はそれに対して「なぜ」と感じている。無神経なのでは、と。

腹の底が、ざわり、と蠢《うごめ》いた。

無神経か？　あの会話が？　どうして。

不快感が腹の中で膨らんでくる。さっきの娘っことのやりとりを思い返しながら、滝沢は、素早く手帳を閉じた。分からん。単に励ましてやっただけのことではないか。こう見えても、滝沢は細やかな神経の持ち主のつもりだ。それなのに、女刑事は顔色一つ変えない代わり、腹の中では滝沢を「無神経」と感じている。畜生。第一、Aというのは何なのだ。滝沢ならTだ。名前から取ったって、保《たもつ》でT。イニシャルはT・Tなのだ。

だんだん真剣に腹が立ってきた頃、音道が次の参考人を連れて戻ってきた。滝沢は、机の上で両手を組み合わせたまま、ちろりと音道を一瞥《いちべつ》し、ついでに後からついてきた男も上目遣いに見た。計算高そうな面《つら》をした野郎だ。小心で保守的な感じだろうか。まあ、良くも悪くも人を殺すタイプには見えない。

「では、あの――」

自分の席に戻り、ペットボトルの茶を滝沢の前にも置いて、さっきの手帳を開きながら、音道がこちらを見る。これまで、滝沢がすべて質問の口火を切ってきたからだ。だが滝沢は、そっぽを向いていた。勝手にしろ、だ。

「――二、三、質問をさせてください。最初に、お名前から、いいですか」

「時間、ないんです。次の予定があって」

「すぐに、すみますので」

「岩松さんにも十分くらいって言って、一時間近くも喋《しゃべ》ってたじゃないですか。僕、困るんですよ、本当に今日は」

「だったら、いいや。帰ってもらって」

音道が何か言う前に、滝沢の方がおもむろに口を開いた。その途端、音道が、ぎょっとしたような表情になってこちらを見た。それでも滝沢は、そっぽを向いたまま、煙草を吸っていた。別段、どうということもないと思う。頭では、分かっているつもりだ。それでも時間がたつにつれ、苛々《いらいら》がたまっていく。

まったく。

面白くねえ。

その日も、一日を締めくくる捜査会議が、昨日と同じ時間から始まった。いの一番に報告に立った班は、昨日、ガイシャの孫のアリバイに矛盾があることを嗅《か》ぎつけてきた二人組だ。だが彼らは、今日のところは目新しい証言などは得られていないと言った。とりあえず、今川良という少年の、小学生の頃までの生活態度や、当時の学校での評判、さらに中学に入ってからの様子が、わずかに明らかになっただけという程度だ。

「よくある話ではあるんですが、学校側としては、いじめその他についても、具体的な事実は把握していない、ということです。また、問題行動のある生徒でもなく、平凡で目立たない子どもである、という印象以外には、特にないようでした。

実は、あそこの中学は一クラスに一、二人以上は必ず不登校の生徒がいるくらいだそうで、べつに珍しくもないというか、そういう意味で、生徒に無理にでも登校を促そうという意欲は低い様子です。形だけは担任が何度か家庭に赴くけれど、あとは余計な刺激を与えずに、保護者と、本人の意思に任せてあるという雰囲気が窺《うかが》えます。少年の様子を知るためには、学校関係者に当たっただけでは、駄目ですね」

「なるほど。すると、明日以降に期待、だな。さらに慎重に頼むぞ。次」

それから次々に、自分たちの担当について報告する声が続いている。隣の音道も今し方、「収穫なし」の報告を終えた。実は、老人ホームから戻る道すがら、長尾広士の存在について、この会議で報告しても良いのではないかと相談されたのだが、滝沢の方が「ご自由に」と突き放した。

「あんたが、やりたいと思うんなら、やりゃあいいんじゃねぇの」

「やりたいとか、やりたくないとかではなくて――」

「俺にゃあ、分かんねぇや。何しろ、無神経なもんでな」

すると音道は、眉根《まゆね》の辺りを微《かす》かに動かし、一瞬、きゅっと唇を噛《か》むような表情になった。

「分かりました」

少し間をおいて小声で呟いた後、女刑事は、それきり何も言わなくなった。滝沢の方としては「どうしてそんなことを言うんですか」とか、「私のメモを見たんですか」とか、そんな反応が返ってくることを密《ひそ》かに期待していたのだが、それもない。以来、署に戻ってきてから現在に至るまで、会話はゼロのままだ。

それにしても。

どうしてこうも分かりにくい、何を言っても思った通りに反応しない女なのだ。その上、軽口一つにも、にこりともしやがらない。聞き込みをかける相手には、それなりに愛想の良い笑顔を見せたりもするし、打ち解けた口調で話す様子だって、なかなかどうして捨てたものではないと思うのに。だったら普段からもう少し笑って見せろと言いたかった。この、相方にだって。

我ながら、少しばかり大人げないとは思っている。だが、腹が立つのだから仕方がなかった。滝沢は、時折、ちらちらと隣の気配を探りながら、その度に鼻から荒々しく息を吐いた。

こっちの気も知らねえで。

滝沢としては、音道と組むことになって以来、言葉遣い一つとってみても、それなりに気をつけているつもりだし、何よりも、いつになく忍耐強く接してきているつもりなのだ。それも、相手が女だと思うからこそではないか。

それを、無神経とか書きやがって。

しかも「A」などと、好《い》い加減なイニシャルで。小賢《こざか》しいんだか青臭いんだか知らないが、言いたいことがあるのなら、その場で言えば良いのだし、せめてはっきりと「滝沢が」とでも書いてあれば、まだスッキリする。

考えれば考えるほど、面白くなかった。明日までは持ち越さないようにしようと思っているが、とりあえず今日のところは、どうにも腹の虫がおさまりそうにない。さっさと会議を終わらせて、ヤツのそばから離れたかった。

「――それから、これは今回のヤマとは直接は関係ないことなんですが、ちょっと気になってるというか――気になってるというわけでもないんですが」

さっきから要領が悪いというか、やたらグズグズと一日の報告をしていた若手の捜査員が、「一応、報告を」と言葉を続けた。まだ終わらねえのかと、滝沢は腕組みをしたままでもう一度、荒々しく息を吐き出した。

「おそらく、どこかのマスコミ関係かと思われるんですが、あちこちで聞き込みに歩いているという男の話を耳にしています」

「今回のヤマに関してか」

「そのようです」

「それで？」

「我々が行くと、その前に、同じことを聞いていった者がいると言われることがありまして」

「だから？」

マイクを通して聞こえる岩間《いわま》捜査一課長の声が微妙に変化した。滝沢は、わずかに顎《あご》を引き、上目遣いに課長を眺めた。

「それが、どうしたんだ」

「あ、ですから、その――」

「邪魔か、そういう連中が」

「まあ――」

その途端、「馬鹿《ばか》もんっ」という怒鳴り声が響いた。

「そんなことは、今に始まったこっちゃあ、ないだろうっ。やりにくくてしょうがないっていうんなら、そんな連中に先回りされるなっ！」

おうおう、と思った。どうやら課長さんも大分ストレスを溜《た》めておいでのようだ。苛立ちを抱えているときに、自分以上にかっかと来ている人間を見るのは、なかなか良いものだ。それだけで、こちらの溜飲《りゅういん》まで下がる気がする。

「いくら地味なヤマだからって、ここで、新聞にでも週刊誌にでも、新しいネタを掘り起こされるような真似《まね》、してくれるなよ！　暑さでぼうっとして、夜討ちにでも朝駆けにでも、簡単に舌を滑らすんじゃあ、ないぞっ」

無理もない話だった。このクソ暑いのに、どっちを向いてもろくな報告が上がって来る気配もない。こんなことなら、例のパイナップル頭のことを、匂《にお》わす程度でも報告しておいてやれば、たとえ糠喜《ぬかよろこ》びに過ぎなかったとしても、つかの間くらいは皆、幸せでいられたかも知れない。あの若手刑事だって、ここまで怒鳴られずに済んだろうにと思うと、つい、皮肉な笑みで頬が緩みそうになる。まあ、恨みたかったら、隣の女刑事を恨むことだ。

「何か、こう、ぱっとしねえよなあ」

その晩、かつての同僚である國島と、どちらからともなく連れだって居酒屋に落ち着くと、滝沢はつい、ため息混じりに呟いた。

「だから言ったろう、俺が。何となく、面倒なことになりそうな気がするって」

「そうだっけか。まあ、そういうことだわなあ」

捜査そのものが難航していることより、ことに今夜の滝沢は、相方についてこぼしたいところなのだが、それは、やめておいた方が良いと自分に言い聞かせている。無関係な部署にいる人間になら、いくらだって話してしまって構わないとも思うのだが、現在、同じ捜査本部で働いている仲間には、どうにもまずい。相手を喜ばすだけに決まっているからだ。それに、誰からどう伝わって、本人の耳に入るかも分からない。それだけは、コンビを組むものとしては絶対に避けなければならないことだった。

本当は、あのクソ女が、と、言ってしまいたいところなのに、と思っていたら、國島の方が「で、なあ」と口を開いた。

「どうよ。お宅の相方」

「音道？　どうって？」

「前にも組んだことがあるんなら、もう、あうんの間柄って感じかね」

早々に生ビールから焼酎《しょうちゅう》のロックに切り替えて、グラスの氷を鳴らしながら、滝沢は、ふん、と鼻を鳴らした。

「あうんも、へったくれも」

「だって、昔なじみなんだろう?」

「昔なじみってほどでも、ねえって。第一、そうだとしたって、たとえば俺らみてぇに、野郎同士で組むのとは、まるっきり、勝手が違うよ」

「まあ、その辺はそうかも知れんが」

テーブルに片肘《かたひじ》を突き、ひじきの煮物をつつきながら、國島は興味深げな表情を見せている。

「だけど、新鮮だろう?」

「新鮮ったってよ。ピチピチの姉ちゃんってわけでもねえんだから。もっとも、そんなのと一日中、一緒にいたら、仕事になんか、なんねえけどなあ」

「でも、あれはあれで、結構いい線いってるじゃねえか」

「てめえの相方を、そういう目じゃあ、見ねえからなあ」

「そうかい。へえ、大したもんだ」

「当たり前だって」

話しながら、やはりこの元同僚も、捜査内容や刑事としての資質より、音道が女であることの方にばかり興味を抱いているのだと思った。そんなものだ。

「いくつだって？」

「三十いくつか、だろうけど」

「亭主持ちだって？」

「いや、聞いてねえ」

硬い表情で「分かりました」と呟《つぶや》いた音道の横顔が思い浮かんでいた。まったく、気の強い女だ。そんなことだから、亭主にも逃げられたのに違いない。そういえば確か、何だか変わった職業の男とつき合っていたはずだが、その相手とはどうなったのだろうか。結婚している様子もない。大方、そっちもうまくいかなかったのだろう。いや、きっとそうだ。そうに決まっている。

「そういう話は、しないのか」

「下手に出来るかよ。今のご時世、何がどうなって、セクハラだ何だって騒がれるか、分かったもんじゃあ、ねえんだから」

「ああ、そういうことも気にかけなきゃあ、ならないわけか。なるほどなあ。そりゃあ、面倒だわなあ」

「まったく、気疲れするったら、ありゃしねえや」

大変だなあ、と頷《うなず》く國島は、言葉とは裏腹に、心なしか嬉《うれ》しそうだ。畜生、と思う。だが、その一方で、滝沢はやはり今でも、密かにほくそ笑みたい気分を抱えていた。今に見ていろと言いたい思いがあった。所詮《しょせん》、組んだことのない相手には、音道の能力は分からない。下手な野郎と組むよりも、よほど粘っこく、集中して事件に向き合う根性を。

だから余計に腹が立つ。こっちの気も知らねえで、と思うのだ。

「しかし、あれかねえ。やっぱり、例の孫っていうのが、怪しいのかね」

頃合いを見計らって話題を変えると、國島の方もわずかに表情を変えて「いや」と小さく呟いた。

「実はさ」

揃《そろ》って焼酎のお代わりを注文し、ネギのぬたを突っつきながら、滝沢は、國島の声が聞き取りやすいように、わずかにテーブルに身を乗り出した。

「今日のところは報告しなかったんだがね」

國島も、上目遣いにちらちらとこちらを見ながら、声を殺す。

「ちょっと、引っかかるヤツが、いないことも、ないんだよな」

「どこに？」

「ホームレス」

ほう。思わず、テーブルから一旦身体《いったんからだ》を離し、背筋を伸ばしたところで焼酎が来た。相変わらず、テーブルに肘をついた姿勢のままの元同僚は、早速、何杯目かの焼酎に口をつけ、わずかに口元を動かして考える表情になっている。滝沢は、再び背中を丸めて前屈《まえかが》みになった。

「どんな野郎だい」

「まだ若いな。三十前だろう」

「隅田川の？」

「かれこれ、二年だと」

「三十前で？　いくつからホームレスになったんだ」

「まったくだ」

それから國島は、分かっている限りの、若いホームレスに関する情報を滝沢に話して聞かせた。ひと言で言ってしまえば、単にガイシャと顔見知りだったという程度のことらしい。徘徊《はいかい》癖のあった今川篤行と、何回か話をしたことがあるということだ。それ以外に大きな手がかりはなく、現段階では、何とも判断のしようがないからこそ、國島も報告を控えた様子だった。

「だけど、なんか、感じるわけかい」

「感じるってほどでも、ないんだけどさ。だが、どうも、のらりくらりしやがって、何となく、胡散臭《うさんくさ》い野郎なんだ」

その辺りは刑事の勘というものだ。滝沢は「ふうん」と頷きながら、そういえば國島の勘は、よく当たる方だっただろうか、などと考えていた。

「じゃあ、國さんは明日も、そのホームレス回りか」

「そういうこと。滝さんは」

「俺は、明日も老人ホーム」

「そっちは、何か引っかかっては、来ないのかい」

滝沢は「今んとこな」と笑って見せながら、徐々に酔いの回ってきた頭で、こうなったら明日はじっくりと、例のパイナップル頭と向き合ってやろうと考えていた。

翌朝、例によってアルコールで膨れ上がっているように感じる脳味噌《のうみそ》を抱えて、滝沢は職場に出向いた。

「おはようございます」

音道が、いつもと変わらない調子で挨拶《あいさつ》を寄越す。まともに応《こた》える気力もなかったが、とりあえずは、軽く手を振る真似で応えた。途中のコンビニで買ってきた「カテキン入り緑茶」は、体脂肪を減らす効果があるという話だが、それより何より、酔いの残っている時には苦みが心地良い。

「ああ、畜生。何だっていうんだよ、朝っぱらから」

改めて外に出た途端、強烈な陽射《ひざ》しがまぶたさえ射抜くほどの勢いで照りつけてくる。さっき飲んだカテキン茶が、残っていた酒と混ざり合って、もう汗になって噴き出してきたようだ。

「好《い》い加減、あそこのホームに通うのも、そろそろ終わりにしたいもんだな。あと何人、残ってるって？」

「二十九人です」

「人数的には、何とかなる感じ、か」

「まだ話を聞いていない人たちが、今日みんな、職場に出てきてくれていれば、ということだと思いますが」

「とりあえず今日は、例のパイナップル頭からさ、じっくり、話を聞いてみてえもんだよな」

「それ、滝沢さんにお願いして、いいんですよね」

「俺？　ああ、まあなあ」

ちらりと隣を見ると、音道は無表情のまま「お願いします」と言った。

長尾広士が、ようやく滝沢たちの前に姿を見せたのは、その日の午後五時を三十分以上も過ぎた頃だった。午前中からそれまでの時間に、出来るだけ多くの従業員から話を聞こうと精を出したから、ことに人数の少ない男性職員の中では、長尾は最後の一人になっていた。文字通り、真打ち登場といった雰囲気だ。

「お疲れのところ、すんませんね」

葬儀の時に見かけたのと同じ、頭のてっぺんから四方に飛び散っているように見える髪型の長尾は、滝沢の言葉に、その黄色い髪をわずかに揺らすように小さく頷く。

「どこでも、適当に腰掛けてもらってね、まあ、楽にしてください」

今朝は七時からの早番勤務に就いていた彼は、既に私服に着替えていた。わずかに顎《あご》を突き出すような仕草の後、おもむろに椅子《いす》の一つを引く姿は、ジーパンにプリントが剝《は》げかけている洗いざらしの白いTシャツといったもので、胸元に金のチェーンを光らせ、半袖《はんそで》から見える太い二の腕には、小さな入れ墨らしいものが見えた。なるほど、その腕といい、胸といい、Tシャツがピンと張って見えるくらいに筋肉の発達した、なかなか良い体格をしている。こんな格好で、肩をいからせて街を歩いていたら、とてもではないが日夜、老人の世話をしている姿など、容易に想像出来ないに違いない。

「一応、お名前とご住所を、教えていただけますか」

机の上にいつもの手帳を広げて、音道が事務的な口調で話し始める。結局、今日は朝からほとんどまともな会話を交わしていない。それでも取り立てて何の支障もなく、聴取はここまで順調に進んでいた。どの相手に対しても、こちらが言葉を区切れば音道が続きを引き受け、ほどほどのところで「そんじゃあ」とでも言えば、「ありがとうございました」と締めくくるといった具合だ。それはそれで無駄もなく、また、意外なほどに気楽なものだった。

「長尾広士。墨田区押上四の二十七の三」

ざらざらとした印象の声だった。高いとか低いとかではなく、ハスキーというのとも違っているが、さんざん吼《ほ》え、叫んで、ついでに酒や煙草《たばこ》で喉《のど》を潰《つぶ》したような感じの声だ。頬骨と顎の骨が張っている風貌《ふうぼう》は、特徴的な髪型と、眉弓《びきゅう》の出ている額とも相まって、全体に粗野で荒々しい印象を与える。口を真一文字に結んで、日焼けした顔を真《ま》っ直《す》ぐ前に向けたまま、ただ視線だけをわずかに落として、長尾は表情というものを作らない。

「お歳《とし》は」

「三十一」

ぶっきらぼうとまではいかないが、愛想もない。敵意や警戒心を露《あら》わにしている風でもないが、かといって協力的な態度にも感じられなかった。

――面白そうな野郎じゃないか。

現段階で、滝沢の勘が働く気配はなかった。ただ、噛《か》みごたえのありそうなヤツだとは思う。いじりたくなるタイプだ。

「それにしても、いい身体してるなあ。何か、特別なスポーツでも？」

音道の質問からさり気なく引き継ぐように、今度は滝沢が口を開いた。長尾は、こちらの方をちらりとも見ないまま「べつに」と応える。動じていない。それなりに場慣れもしている感じだ。岩松みうが言っていたことを考え合わせれば、なるほど肝っ玉が据わっているのも当然のことかも知れない。だとすると、こちらももう少しくらい、強く出ても良さそうだった。

「べつにってこたあ、ないよなあ。生まれつき、そんな筋肉もりもりの赤ん坊なんて、いやしねえんだから。ねえ」

長尾が、初めてこちらを見た。わずかに引っ込んだ目元に、ほんの一瞬、冷笑にも近いものが浮かんだ。

「今は、普通の筋トレくらいのもんですって」

「筋トレか。ベンチプレスとか、上げてるわけかね」

「そんなこと、ここで説明するようなことでも、ないんじゃないスか」

ちょっと楽しくなってきた。滝沢は足を組み替え、腕組みをして、斜に構えたままでテーブルに身を乗り出した。

「そうかい？　まあ、あんたがそう言うんなら、そういうことにしても、いいがね」

「どういう意味っスか」

長尾が、再びちらりとこちらに視線を投げてよこした。その目が、挑発になど乗るものかと言っている。こちらの意図を汲《く》んでいることが、よく分かる。

「そんなことより、早いとこ本題に入ればいいじゃないスか」

「本題？　何、今日はこの後、急ぎの用でも、あるのかね」

それでも、もう少し食い下がってみようと思った。煙草に火を点《つ》けながら、滝沢は、相変わらず表情自体は変えていない相手を眺めていた。

「それとも、サッの人間とは、あんまり話したくはないかね」

「どっちだって、関係ないじゃないスか」

「どうして？」

「こっちの都合になんか関係なく、用があればいつでも、どこにでもやって来るのが、あんたたちなんだから」

「ほう、詳しいね」

「こう何日も、ここの会議室を貸し切りにして、片っ端から順番に呼び出すような真《ま》似《ね》してれば、誰だってそう思いますよ」

口調は投げやりにも受け取れるが、かといって長尾には、苛《いら》立《だ》っている様子は見えなかった。威圧感を与えるほどに立派な体格の持ち主ではあるものの、だからといって本人からは、取り立てて殺気立ったものなどが感じられるということもない。ただつまらなそうな表情で、一点を見ているばかりだ。

「そんじゃあ、まあ、一つ聞かせて欲しいんだがね。例の、今川の爺《じい》さんの件」

長尾はようやくわずかに顔を上げ、半ば気だるそうな表情で、太い首をぐるりと回した。さらに目をつぶって左と右にも傾ける。滝沢のいる席までも、ぼき、ぼき、と関節の鳴る音が聞こえた。

「事件のあった夜ねえ、長尾さん、あんた、どこで、何してたか、教えてもらえますか」

「覚えてないです」

大して深く考える様子もなく、長尾がぼそりと答えた。一瞬、隣を見る。音道も、ちらりとこちらを見た。

「ちょっとちょっと。そんなにあっさり答えないで欲しいなあ」

「本当のことスから」

「じゃあさ、ここで一緒に考えて、思い出してみようじゃないか。勤務表によると、あの日は、お宅は夜勤だったんだよね」

すると長尾は、今度は口元にはっきりと皮肉っぽい笑みを浮かべ、太い腿《もも》の上で両手を組み合わせた。

「そこから始めるわけっスか。とっくに分かってるんでしょう？　あの日、俺が夜勤から外れたことぐらい」

「まあね」

「だったら何も、そんなカマかけるような真似、することないじゃないスか」

「カマなんて、かけてやしないって。一応は本人の口から聞くのが、筋だっていうだけでね」

ふうん、と言うように口をへの字に曲げて、それから長尾は、また視線を遠くにやる。相変わらずの落ち着きぶり。演技か。虚勢か。それとも開き直りだろうか。

「改めて、聞かせてもらえるかね。あの日、あんたは夜勤を代わってもらって？」

「帰りましたけど」

「理由は？」

「べつに」

「何の理由もなしに？」

「まあ、それほど大したことでも、ないんで」

「大したことかどうかは、こっちで判断するからさ。で、どこに行ったのかね」

「だから、帰っただけっス」

「どこに」

「家に」

「それから？」

「それだけ」

「わざわざ夜勤を休んで、早く帰った？」

ほんの一瞬だけ、長尾と正面から視線がぶつかり合った。少しまぶたが重そうな、わずかに眠たげな目をしている。その目が瞬《まばた》きもせずに滝沢を見据え、やがて「わざわざ」というざらざらとした声が聞こえた。

「て、いうわけでも、ないけど」

つい、こちらの方が背を反らして、大きな深呼吸をしていた。特別に緊張する場面でもないのだが、こういうタイプの相手と正面から対峙《たいじ》すること自体が、考えてみれば久しぶりだった。実際、さっきから滝沢の中では、この男に対する印象や、こちらのとるべき態度を決めかねて、ずっと揺れている部分があった。

この男には独特の雰囲気がみなぎっている。それは間違いがないと思うのだ。だからといって現段階で、長尾広士が殺人を犯したかどうか判断することなど、出来るはずもない。滝沢自身の勘が、何かを告げている気配もないし、特段、嫌疑をかけたいという思いも、ありはしなかった。だがとにかく、長尾には少なからず、ある雰囲気があった。それが、何とも引っかかるのだ。

「ねえ、何か、用があったんじゃないのかね」

「大したことはないっスね」

「家っていうのは――ええ、この、押上の四丁目のね。アパートか何か」

「自宅っスけど」

「ああ、そうかね。自宅かい。じゃあ、家族と暮らしてるんだね」

「まあ」

「ちなみにあんたは、結婚は」

「そんなの、してないっス」

「ふうん。すると？　家族っていうのは？」

その時、長尾のＴシャツの胸が、一瞬、大きく膨らんだ。がっちり組み合わせた両手の指先がわずかに動く。相変わらず口を真一文字に結んだままで、長尾はちらりと滝沢の方を見た。滝沢は、答えを促すかのように、わざとらしく小首を傾《かし》げ、眉《まゆ》を大きく動かして見せた。

「――祖父《じい》ちゃんと、祖母《ばあ》ちゃんがいます」

口の形だけで「ほう」と頷《うなず》く。長尾は、もう一度滝沢の方を見て、それから諦《あきら》めたように一人で微《かす》かに頷いた。

「三人家族っス。祖父ちゃんは、豆腐屋をやってて」

両親や兄弟は、と聞きたい気持ちが働いたが、その一方では、相手から喋《しゃべ》り出すのを待ちたいとも思った。

「あの日は――」

両手をもう一度組み合わせ、大きく肩を上下に揺らして、長尾は仕方なさそうに、事件のあった当日は、祖父が風邪気味で寝込んでいたために、早く帰ったのだと言った。

「店の、後片付けが残ってたし、次の日の分の仕込みも、しとかなきゃいけないっていうんで、それで早く帰りました」

「なんだい。じゃあ、きっちりアリバイがあるんじゃない」

すると長尾は、相変わらず眠たそうな顔を窓の方へ向け、「きっちりたって」と呟《つぶや》いた。

「祖父ちゃんは奥で寝てたわけだし、祖母ちゃんだって、まあ身内だし」

「ああ、なるほどな。そんで？　片付けっていうのは、何時頃までかかったね」

「よく覚えてないっスね」

「仕込みっていうのは」

「その後で」

「具体的には、何をすんの」

「豆腐って、大豆ですからね。原料の大豆を洗って、ゴミとか取って、水に浸しとくんです」

「ああ、そういうことか。で、それが終わったのは。何時頃」

「だから、覚えてないっス」

「その後は」

「忘れました」

思わず、ふふん、と声に出して笑った。長尾本人も、何とも曖昧《あいまい》な表情に、薄笑いらしきものを浮かべている。

「そこまで覚えていながら？　その後のことになると、まるで覚えていない？　あんた、そりゃあないでしょうが」

長尾は、再び視線を斜め下に戻し、眠たそうに、または退屈した様子で、ゆっくり瞬きを繰り返すばかりだ。馬鹿《ばか》にしているのか。ここで怒鳴ると、どういうことになるだろうか。まさか。単なる聞き込みで、怒鳴ったり出来るはずがない。滝沢は「あーあ」と小さく呟きながら、改めて腕組みをした。

「まあ、いいや。じゃあ、ちょっと話題を変えようかな。長尾さん、あんた、今川の爺さんに、嫌われてたって？」

一点を見つめたまま、長尾の頬が、また微かに緩む。

「よく怒鳴られたり、ものを投げつけられたりしてたっていうじゃない。こっちの、このお姉さんもさ、一度、見たことがあるみたいだがね」

長尾はちらりと音道の方に視線を走らせた。表情そのものは変わることがない。

「どう思ってたね。そういう相手を」

「──どうって」

「他の職員さんの間じゃあ、お世辞にも評判がいいとは、言えない人だったみたいじゃないか」

長尾はわずかに身体《からだ》を傾けるようにしながら、ため息をつく。それでも表情自体は変わらなかった。こいつの顔の筋肉は、どうなっているのだろうと、ふと思う。

「あれだろう? 岩松みうちゃんなんて、結構、あんたにグチったりしてたんだろう」

「愚痴ってほどでも、ないけど」

「それ聞いて、どう思ってた?」

「べつに」

「べつにってさ。あんた──」

「だって」

そこで初めて、長尾広士は真《ま》っ直《す》ぐにこちらを見た。

「まともじゃないんですよ、相手は。病気なんスから。そんなのに、まじになったたって、しょうがないでしょうが」

「なるほどね。割り切ってる、と」

「割り切るっていうか。そういうのとも違うけど」

「腹は、立たないかい」

「立たないっスね」

「まったく」

「そりゃあ、瞬間的には、ありますけど。俺だって人間だから。でも、だからって
――」

椅子《いす》に腰掛けたまま、長尾はいかにも退屈そうな表情に戻ると顔を横に背け、銀色のピアスの光る耳の辺りを掻《か》いた。

「あのクソ爺《じじ》ぃとか、ぶっ殺してやるとか、そんなこと、思うわけもないしね」

姿勢を戻した長尾は、不敵な表情で、「どっちみち」と言葉を続ける。

「俺らに比べりゃあ、そう先の長くない人たちなんだし。何も、好きこのんで呆《ぼ》けたってわけでもないわけだから」

眠そうな目。だが、その瞳《ひとみ》そのものは、意外なほど、真っ直ぐにこちらを見ていた。

「もう、いいスかね。この辺で」

ちらりと隣を見ると、音道が何か言いたげな顔をこちらに向けていた。

「ああ――まあ、いいや。はい、ご苦労さん」

滝沢は首の後ろを掻きながら、会議室を出て行く長尾の大きな背中を見送った。

結局、その日のうちに全員の聴取を終わらせることは出来なかった。それでも残りはアルバイトと夜勤専門の職員を含めて七人だけだから、まずまずといったところだ。

「そろそろ、引き揚げるか」

手元の時計を見て、大きく伸びをする。隣にいた音道が、黙って手帳を閉じた。

「まあ、どう転んでも明日には全員、終わるだろうし」

「そうしたら、どうするんですか」

閉じた手帳の上に手を添えたまま、音道がこちらを向いた。椅子の背もたれに寄りかかった姿勢で、滝沢は「ああ?」と、その視線を受け止めた。相変わらず、蛍光灯の明かりの下になると、妙に青白く見える顔をしている。

「どうするって、そりゃあ、まあ――」

「長尾への聴取は、あれで終わりですか」

それをこれから考えようと思っていたところだ。腹の上で両手を組み合わせ、ゆっくり首を回しながら、滝沢はうめくような声で「どういうことだ」と呟いた。

「滝沢さんは、どう判断されたんですか」

「何を」

「さっきの、あの話だけで。白か黒か、どう判断されたのかと」

「判断なんて、してねえよ。どっちにも」

「それなら、どうしてあれで終わりにしたんですか」

ほとんど一日中、冷房の効いた中にいるのだが、汗の塩分が残っているかのように、顔のあちこちがちくちくと痒《かゆ》かった。その顔全体を何となく撫《な》で回しながら、滝沢は深々と息を吐き出した。どうしてと言われても、それが滝沢のやり方なのだ。

「今の段階では、彼のアリバイははっきりしないままです。ガイシャとの関係についても、通り一遍の説明しか聞いていません」

「分かってるよ」

「だったらなぜ、もっと突っ込んだ質問をしなかったんですか」

ことに、顎《あご》の辺りが痒かった。顎を突き出すようにして、そこから首にかけてをこすりながら、滝沢は横目で音道を見た。口元を引き締め、音道はこちらの返答を待っている。

「じゃあ、あんたの目から見て、ヤツはどう映った」

「どうって――」

「どっか、クサいと思ったか」

「先入観は、持たないようにしています」

「だから先入観じゃなく。実際に目の前にいる野郎を見て、どう思ったんだ。どういう野郎だと感じたんだい」

「分かりません」

へえ、と突き出していた顎を引っこめて、滝沢は椅子から背を離し、今度はテーブルに肘《ひじ》をついて身を乗り出した。

「分からないとは、こりゃあ、また、えらく大胆なこと、言うじゃねえか」

「大胆ですか？」

「あんた、デカだろう？　人間を見る、プロなんじゃねえか？　なあ。人に会ったらその都度、何かしらの印象とか、感想とか、そういうのが、あんだろうが」

音道の表情が微かに動く。

「俺でさえ、ある程度のことは感じるわけだからさ。この、無神経な俺でさえ」

細い眉が、ぴくりと動いた。その顔を見ていたら、せっかく忘れていたつもりの昨日の怒りが、むくむくと頭をもたげてきた。

「あんただって何かしら、感じて当然なんじゃねえか？　それをさあ、言ってみてくれって。無神経な俺にも分かるように」

微かに俯《うつむ》いた音道の顔に、前髪が影を作る。押し殺した声が「どうして」と聞こえた。滝沢は新しい煙草《たばこ》をくわえながら、横目でその姿を見ていた。唇を微かに嚙《か》んでいるのが分かる。

「何だよ、言いたいことがあるんなら、言ってみろよ。腹の中ではっかり、ぐじぐじぐじぐじ考えてねぇで」

その瞬間、音道がぱっと顔を上げた。さっきまで青白く見えていた頰が紅潮し、瞳がきらきらと光って見える。

「私が個人として感じたことを手帳に書き込んだまでのことです。どう感じようと、そんなことまで滝沢さんにあれこれ言われたくありません」

「だけど、俺のことじゃねぇか。そうだろう？　この俺の、どこが無神経なんだ。その点だけでも、お聞かせ願えませんかね」

音道の呼吸が微かに荒くなっているのが分かった。唇を引き結び、さらに視線に力を込めて、音道は真っ直ぐにこちらを見ている。数秒間の沈黙が、妙に長く感じられた。

「なあ、女刑事さんよ。ここいらで一度、腹を割って話しておこうじゃねぇか」

音道の喉《のど》が微かに上下に動いた。相手の顔から目を離さずに、滝沢は、出来るだけ深々と煙草を吸い、ゆっくり煙を吐き出した。

「だったら言います」

「おう、どうぞどうぞ」

テーブルにのせていた手を自分の膝元《ひざもと》に戻し、音道はしばらくの間、また顔を俯かせていたが、やがて大きく深呼吸をすると、「言いたいことは、三つあります」と言った。

「まず、今、私がうかがいたかったのは、長尾の件だけでした。どうしてあんな中途半端《はんぱ》な形で聴取を終わりにしたのか、はっきりしたアリバイも分からず、動機などについても曖昧なままで、この先、どうするのかうかがいたかったんです」

「だから――」

「最後まで言わせてください。二つめは、ですが、滝沢さんがそれとは関係のないことを言われるので、お答えするだけです。私が滝沢さんを無神経と感じたのは、岩松みうという人が、ああいう過去を持つ女性だと聞いたばかりにもかかわらず、しごく安易に結婚や出産をすすめることを言われたからです」

「そんなこと言ったって――」

「それが平凡な、平均的な女性の幸せだと仰《おつしや》るんなら、それこそ、ベテランの滝沢さんともあろうものが、女性の心の傷に関して、無神経すぎると思います。彼女は、たとえ義理でも、自分の父親に乱暴されたんですよ。しかも、幼い頃に。それを実の母親さえ庇《かば》ってはくれなかった。そんな女性が家庭というものに対して、また男性に対して、どれほどの恐怖と不信感を抱いているかくらい、少し考えれば分かることだと思いますが」

音道が話している途中で、もう滝沢は「分かった分かった」と手を振りたい気分になっていた。確かに、それは滝沢が口を滑らせた。つい、ごく普通の若い女性に対するつもりで、本当に挨拶《あいさつ》程度のつもりで言ったのだ。ごく軽い気持ちだった。ああ、畜生、やぶ蛇になった。

「三つめ。私は、ぐじぐじぐじぐじなんて、考えるタイプではありません。感想として手帳に何を書き込んだとしたって、そのことをずっと自分の中でいじり回したりはしません。それを言うなら、黙って他人《ひと》の手帳を見ておいて、その場で何も言わない代わりに根に持つ方が、よっぽどはっきりしないいんじゃないんですか」

「何、だと？」

その言いぐさは、さすがに聞き捨てならなかった。だが音道は、さっきよりもさらに瞳を光らせて、挑戦的にこちらを見据えている。

「女に対して、女々しいなんていう表現はしませんよね。そういう表現をするのは、いつも男性に対してです」

「あ——おい、何が言いたいんだよ」

「いいえ。言いたいことは、それだけです」

「あのなあ——」

「会議に遅れます。戻りましょう」

テーブルの上の資料を手早く重ね、たん、と大きな音を立てて揃《そろ》えると、音道はさっと立ち上がる。短くなった煙草を吸いながら、滝沢は、顔だけはかっかと熱いものの、脳味噌《のうみそ》の中の方はすうすうと涼しくなるのを感じていた。

「よくもまあ、ぺらぺらぺらぺらと」

「滝沢さんが喋《しゃべ》れと言われるから、言ったまでです」

「じゃあな、もう一つ、聞かせろや」

「もう行きます」

「聞かせろっ」

鞄《かばん》を肩にかけ、音道はまた真っ直ぐにこちらを見下ろしてくる。

「Aってのは、何なんだ。あのAは。見え透いた書き方して」

その途端、それまで無表情だった音道の顔が、微《かす》かに動いた。口元がほんの少しだけ動いて、今にも笑いそうな気配を見せる。

「俺はなあ、滝沢保《たもつ》ってえんだぞ」

「知ってます」

「だったら、はっきりそう書きゃあ、いいだろうが。陰険な」

「見られることを意識して書いているわけではないんですから、わざわざ仮名にしたつもりはありません。あれは――」

そして音道は、くるりと踵《きびす》を返し、さっさと出口に向かう。滝沢は仕方なく、吸い殻を灰皿に押しつけた。

「あだ名のイニシャルですから」

「あだ名だ？　誰の。俺のか。なんて」

「私が勝手に考えているだけのことです」

それだけ言い残して、音道はさっさと会議室を出て行ってしまった。馬鹿《ばか》野郎、本当に人を置いていく気なのか。しかし、それにしても口の減らない女だ。普段、何も喋らないかと思ったら、一気にまくし立てやがった。

ここは、昨日の手帳の一件は早いところ水に流して、長尾に対する取り調べ姿勢の話に絞る方が得策なようだ。ゆっくり席を立ち、ズボンのベルトをたくし上げると、滝沢は隣の椅子《いす》の背もたれにかけっぱなしにしていた上着に手を伸ばした。

畜生。

何とか一本、取り返さないとな。

便所で用を足し、ちょいちょいと手を洗って、その濡《ぬ》れた手でばらついている髪を撫でつけ、滝沢は、鏡に映る自分の顔を、しばらくの間じっと見つめていた。

——そういう表現をするのは、いつも男性に対してです。

何だ？　すると音道は、この滝沢を女々しいとでも言うつもりなのだろうか。ふざけやがって。てめえの手帳を覗《のぞ》かれたくらいで、女々しいとは何ごとだ。

鏡の中の自分に向かって、ふん、と笑って見せると、滝沢はもう一度ベルトをたくし上げ、ゆうゆうと便所を出て行った。事務局に顔を出して、相変わらず不景気な面《つら》の事務局長に声をかけ、のんびりと玄関に向かう。音道は、すでに蒸し暑い外に出て、つん、と澄ました顔をして立っていた。まったく意地っ張りな女だ。少しの間でも、冷房の効いている場所にいりゃあ、良いものを。

「どうだい」

自分も外に出て歩き始めると、滝沢は出来るだけ穏やかな声を出した。

「少しは、すっきりしたか」

「何がですか」

「さんざん、言いたいことを言ってさ」

いつもよりも幾分早いテンポで、二つの靴音が響く。そのテンポに合せるように、早口で「してません」という返事が聞こえた。

「なんで」

「長尾のことに関して、まだ何の説明もしていただいてません」

畜生、また先を越されたと思った。日が悪いのだろうか。どうやら、今日のところは完全に、滝沢の方が分が悪いようだ。

「この状況だと、今日の会議で、どう報告すればいいですか」

「まだ、しなくていい」

「でも——」

「あんただって言ってたろう。まだ何もはっきりさせてないって」

「そうですが」

だんだん、音道の声が弾んできた。仕方がない。会議に間に合うように帰らなければならないのだ。滝沢も、首筋の辺りを汗が伝うのを感じている。

「あいつは、今日以上のことは、自分じゃあ喋らん。そういう奴《やつ》だろう。だから、もう少し、慎重に調べた方がいいと思ってる」

夜道を、遠くに見える街灯の明かりだけを見つめて、滝沢は呟《つぶや》いた。

「あんたは感じたかどうか、分からんがね。あの長尾っていう野郎には、何か、ある。だが、それが今度のヤマと関わってるかどうかは、分からん」

「私は」

少しの間が開いて、音道の声が聞こえた。

「あの人は、シロだと思いました」

「何で」

「何となく」

「それじゃあ、駄目なんだよ」

「分かってます。ですから、はっきりシロだと分かる質問をしてあげたかったと」

「必要なことは、きっちり聞いた。それに、きちんと答えなかったのは、野郎の方だ」

「そうなんですが――」

ようやく信号のところまで来た。正面の赤い色を見つめながら、滝沢は立ち止まってポケットからタオルハンカチを取り出し、首筋を拭《ぬぐ》った。

「とりあえず、野郎の周辺を調べてみる必要はあるだろうな。もう少し、慎重に」

「じゃあ、滝沢さんも、シロだと？」

「分からねえ。俺は、あんたほどい勘はしてねえから。ああ、嫌味じゃあ、なく、だ」

信号が変わった。車のヘッドライトが照らし出す横断歩道を、滝沢は音道と競い合うように早歩きで渡った。少し進むと、再び闇《やみ》が深くなる。大して幅のある道路ではなかった。それなのに、停車中の車が行く手を阻《はば》み、対向車も数台来ていて、つい立ち止まらなければならなくなった。滝沢は少し考えて「まあ、な」と小さく呟いた。視界の片隅には音道の服が見えている。

「あれは、俺が無神経だったかも知れん」

「――失礼な言い方をして、申し訳ありませんでした――私も」

車の列が途切れる。滝沢は、ちらりと横目で音道の顔を見上げ、先に歩けと促した。小さく頷《うなず》いて、女刑事は素早く歩き始める。そののっぽの後ろ姿を見つめながら、滝沢は、まったく、と腹の中で呟いていた。こんな気の強い女は、初めてだ。これは、ちょっとやそっとの野郎には、とても太刀打ちできるものではない。

「なあ。俺のあだ名ってえの、いつか、教えるか」

「教えません」

横を何台もの車がすり抜けていく夜道を、前後で喋りながら歩く。だが、何度「教えろ」「おい」などと声をかけても、音道は同じ返事しか寄越さなかった。

「……という、ホームレスがおりまして」

汗をかきかき捜査本部に帰り着くと、既に会議は始まっており、ちょうど國島が報告に立っているところだった。滝沢は、ひな壇の方向に遅刻をわびる真似《まね》をしながら、申し訳程度に前屈《まえかが》みに歩き、音道と前後して、そっと席についた。

「名前は宝来豊《ほうらいゆたか》。二十七歳。隅田川沿いのテント小屋で生活しております。普段は段ボール集めや空き缶拾いなどで食いつないでいる男ですが、この男は以前からガイシャとは面識があったという複数の証言を得ており、そのことは本人も認めておるわけですが、事件の前後から、なぜか少し金回りがよくなったという話があります」

第三章

1

　捜査本部の雰囲気が変わった。

　被害者の孫である今川良に次いで、新たに重要参考人と目される人物が浮上してきたことで、それまでは四方八方に飛び散る水滴のように、脈絡もまとまりもなかった捜査員たちが、徐々にある流れに向かってまとまりを見せ、勢いを持とうとし始めているのだ。会議に遅れたせいで流れに乗り遅れた気分のためか、その変化を、貴子はいつになく敏感に、また、何となく複雑な思いと共に受け止めていた。

　宝来豊。二十七歳。

　何ともめでたい名前ではないか。そんな名前の持ち主の背負っている現実が、隅田川沿いでの路上生活だとは。

「現段階では、宝来はガイシャとの関係については『顔見知り程度』としか語っておりません。ただガイシャが生前、徘徊《はいかい》を繰り返しては家族が一一〇番通報をしていたことによりまして、その都度、行方を捜す警察官から声をかけられたことが複数回あり、そのため宝来は、ガイシャが認知症を患《わずら》っていたことを、十分に承知していた模様です」

報告に立っているのは、滝沢と顔なじみらしい刑事だった。昨日の晩なども、会議が終わった後に連れだってこの本部を出て行ったから、おそらく飲み仲間といったところなのだろう。

「二十七歳にして、既に二年間にわたる路上生活を続けていることからも推測出来るように、宝来には、生まれついての放浪癖と怠惰な性癖があるようです。経歴その他については、今後の捜査によるといたしましても、本人の弁によれば高校を中退して上京したものの、かつて定職に就いた経験は一度としてなく、今後も、きちんとした職に就きたい、また安定した生活を築きたいなどといった展望のようなものは、まったく持っていないと広言してはばからない人物です」

ふと、今川老人を捜して、玉城と共に方々を歩き回った日のことを思い出した。あの時はまだ、今川篤行という老人の顔さえ知らなかった。気持ちばかりが急《せ》く中で、隅田川沿いまで足を運び、段ボールハウスやテント小屋を作って暮らしているホームレスたちからも話を聞いた。あの中に、宝来も混ざっていたのだろうか。もしかすると、今川老人にインスタントラーメンを食べさせてやったことがあると自慢げに語っていた、あの若いホームレスが宝来だったのだろうか。

――だけど。

ホームレスによる、単なる物盗《ものと》り目的などの犯行として片付けられてしまっては、もう一つ釈然としない。無論、孫による犯罪というのでも同様だ。そう思うからこそ、徐々に高揚感が広がりつつある捜査本部の雰囲気に、いつになく馴染《なじ》めないのだと、貴子は悟っていた。これはいわば、勘だった。

ホームレスに老人の行方を尋ね歩いていた頃、貴子たちが追い求めていたのは、肌寒い雨の日に住宅の床下から現れた三体の白骨死体を巡る真実だった。そのことを忘れているつもりはない。そして今でも、どうにかして、あの問題との関連を探りたいと思っている。それなのに、流れは異なる方へ、異なる方へと向かっている。

――このままだと、あの三人は闇《やみ》から闇へと葬《ほうむ》り去られることになる。

無論、徹底した捜査の末に今回の容疑者が浮上し、証拠も挙がり、本人も犯行を認めて、間違いなくその人物による犯行だということになれば、それはそれだ。この事件は解決し、捜査本部は解散する。だがそうなった場合、置き去りにされたままのあの三人のことは、この先誰が考え、真相を突き止めることになるのだろうか。またもや、貴子と玉城との、二人だけに託されるのか。

貴子は、ちらりと隣の席を見た。こめかみのあたりに汗を光らせたまま、滝沢は顎《あご》を引き気味に、背を反らして報告に耳を傾けている。ここまで急いで戻ってきたせいで、しばらくの間は呼吸を弾ませていた様子だったが、今、その表情は、これが滝沢かと思うほど静かで落ち着いて見えた。ふいに、ああ、この人は大人なのだと思った。あと十年もすれば定年を迎え、人生の残り時間のことを考えなければならなくなるところまできている、押しも押されもせぬ大人なのだ。

——あれは、俺が無神経だったかも知れん。

さっきのやり取りと、帰り途中に交わした言葉を思い出した。

我ながら、ずい分と思い切った口答えの仕方をしたものだと思う。それにしても、あの時の滝沢の顔ときたら。文字通りアザラシが猫だましでも食らったような顔をしていた。今、思い出しても、つい頬のあたりが緩んでしまいそうになるほどだ。大人もへったくれもあったものではない。

だが、その後の滝沢の態度は、やはり貴子には意外なものだった。いつだって「男

「でございます」と肩で風を切って歩くようなタイプの、しかも石頭の職人気質（かたぎ）が、あれほどすんなりと反省の言葉を口にするとは思わなかった。当分の間は、険悪な雰囲気が続くのかも知れない、または、これからは毎日のように、ああいう言葉の応酬が繰り返されることになるのだろうかと、半ば自分自身を奮い立たせるつもりにさえなっていたのに、滝沢は貴子に対して「すっきりしたか」とさえ言った。まるで、自分がサンドバッグの役でも買って出たかのように。

要するに、ああ見えても相手は大人だということなのだろうか。または、こちらが警戒しているほど、向こうは貴子を敵対視などしていないということなのかも知れない。いや。どうだろう。やはり、単に油断させるつもりだけかも知れないではないか。ここまで手のこんだ真似《まね》をしてでも、貴子を貶《おと》めたいのかも知れない。なぜ？　貴子が女だから。こういう考えは、あまりに疑い深すぎるというものだろうか。刑事の嫌な習性か。

――あの長尾っていう野郎には、何か、ある。だが、それが今度のヤマと関わってるかどうかは、分からん。

滝沢は、貴子などを遥《はる》かに凌《しの》ぐベテランだ。貴子の勘を云々《うんぬん》していたが、こちらが気付かない雰囲気を感じ、見抜けない部分を見抜くのは、滝沢の方に違いない。

長尾広士という男が、確かにどこか変わった雰囲気の持ち主だということは、貴子も当初から感じてはいた。一見、無愛想で粗暴な感じもするのに、選んだ職業にしても老人福祉関係だし、祖父が風邪をひけば仕事を替わってもらってでも帰宅するという。岩松みうの言葉が本当だとしたら、ある程度の年齢までは相当に荒れた生活をしていたと考えられるし、事実、あの目つきにしろ、貴子たちと向き合ったときの態度にしろ、それなりのことをしてきた様子は十分に窺《うかが》えるのに、その一方で不思議な静けさのようなものを全身から漂わせているとも思う。

少年時代に暴れるだけ暴れて、ある程度の年齢になると別人のように落ち着いてしまうという人は、別段、珍しくはない。また、そういう人物に限って、落ち着いた後はしごくまともになって、穏やかで柔らかい物腰を身につけたりもするものだ。だが長尾の場合は、そういうのとも、どこか違う感じがする。第一、あの表情。すべての感情を押し殺そうとしているように見える、あの顔つきは、何も今日に限ったことではなかった。以前、今川老人と向き合っていたときの顔つきだって、また、告別式に参列していたときにしても、彼は何となくその場にそぐわない、一種独特の、何ともいえない顔つきをしていた。

貴子が感じるのは、そこまでだった。滝沢は、それ以上の何を彼から感じ取ったというのだろうか。明日以降、何を探っていこうというのだろう。

「次、滝沢班」

ふいにマイクを通して捜査一課長の声が聞こえた。一瞬、ちらりと隣を見てから、貴子は慌《あわ》てて立ち上がった。

「今日も、昨日に引き続き老人ホームの職員および従業員からの聴取を続けました。特に、報告すべきことはありません」

「つまり、取り立てて注意すべき人物も、証言その他も出てきていないということか」

「——現在のところは、そういうことになります」

「まだ当たっていない人数は、あとどれくらいだ」

「残りは、あと七名になります」

「すると、いずれにせよ明日には終了だな」

「そのつもりです」

「よし、続けてくれ。ご苦労さん」

ゆっくり腰を下ろす間に、隣から視線を感じた。ちらりと見ると、滝沢が満足げな表情でわずかに目を細めている。明日だ、明日、と、その毒トカゲのような目が語る。

貴子も微《かす》かに頷《うなず》きながら、一方で、ああ、いやなことだと思っていた。どうして、こんなに分かってしまうんだろう。相手の言いたいことが。

「よし、最後に、玉城班」

密《ひそ》かにため息をついた時、離れた席で玉城が立ち上がった。貴子は意外な思いで、その姿を眺めた。誰よりも先に、いちばん有力な手がかりを掴《つか》んできた玉城たちの班だけに、貴子たちが帰ってくるよりも先に、もう報告が済んでいるのかと思っていた。

「実は、今日は夕方になりましてから、ガイシャの娘であり、我々がマークしている当該少年の母親でもある今川季子より、至急自宅まで来て欲しい旨《むね》、所轄《しょかつ》の捜査係を通して連絡がありました。そこで我々は、少年の自宅に出向いたわけでありますが」

捜査員たちの頭越しに見える玉城は、心なしか、疲れた後ろ姿に見える。その声にも張りがなく、いかにも押し殺した雰囲気のものだった。

「自宅に到着するなり、今川季子は玄関口に立ったまま、猛烈な勢いで我々を怒鳴りつけました。我々が今川良を祖父殺しの犯人に仕立てようとしているのは、一体どういう了見からかということです」

本部内の空気が奇妙に蠢《うごめ》いた。正面に陣取っている管理官や課長も、いつの間にか難しい表情に変わっている。

「実は、今川季子の言葉を借りると、今日の午後、今川季子宅に、警察手帳らしきものを提示する幡野《はたの》なる人物がやってきて、今川良について話を聞きたいと言ってきたということです。季子が、どういう用件かと尋ねたところ、幡野という男は『それならば単刀直入に言うが』と前置きをした上で、『お宅の息子が、祖父である今川篤行を殴り殺したのではないのか。我々は、そう見ているが』と言ったのだそうです」

今度は本物のざわめきが起こった。貴子も思わず辺りを見回した。この中に、幡野という捜査員はいるのだろうか。もしも、いるのだとしたら、どうしてそんな馬鹿《ばか》な真似をしたのだろう。

「今川季子の興奮は大変なもので、『これだけ立て続けに不幸に見舞われているというのに、警察は、よく調べもしないで中学生の子どもを人殺し呼ばわりするのか』と騒ぎ、その剣幕が収まらないため、我々はその場で捜査本部に連絡を入れ、幡野という捜査員が実際にそのような行動を取ったのかどうか、確認をとった次第です」

要するに、このことについては、上層部には既に報告が入っていたのに違いない。正面にいる岩間捜査一課長と白川管理官、さらに所轄の都筑刑事課長らの表情はいずれも険しいままで、ただ一点を見つめている。

「その結果、この本部内に、幡野という捜査員は存在していないことが判明しております。さらに、当隅田川東署内にも、そのような名字の警察官は在籍しておりません」

「要するに、警察官を名乗る人物が、我々の捜査を妨害している、ということになるな」

「これまでにも何度か、マスコミらしい存在についての報告がなされていたかと思いますが、今回は明らかに捜査員を装《よそお》っていることもあり、これ以上、我々の捜査を妨害されないためにも、何らかの手段を講じる必要があるかと思われます」

「無論だ。しかも、考えようによっては、その人物はある程度の捜査情報を握っている可能性もあるというわけだからな」

マイクを通して、岩間課長の苦々しげな声が聞こえてきた。貴子は、またもやつい隣を見てしまった。こういうことが起こるのなら、長尾広士のことに関しても、下手に報告などしない方が正解だったのかも知れないと思った。すると滝沢の目が「そうだろう」と答える。もしかすると滝沢は、こんな場合さえ想定していたのだろうか。だとしたら、相当なものだ。

「今川季子は、幡野という男に対しても、息子を会わせなかったそうでありますが、我々に対しても、絶対に会わせるつもりはないと断言しました。相当、感情的になっていることは間違いがありません。

自分は、今回の事件の発生以前から、今川季子のことを見知っておりますが、感情の起伏が激しく、また、どちらかといえば被害者意識の強いタイプの女性です。こういうことがありますと、これからは母子揃《そろ》って神経を尖《とが》らせることになるのは間違いないはずですから、相手が少年であることも考慮に入れ、自殺や逃走、その他の可能性なども視野に入れながら、早急に何らかの対策を講じる必要があると思います」

疲れ果てた表情の今川季子が思い浮かんだ。あの家で、今頃、彼女はさらに自分の不幸を嘆いているのかも知れない。

「ここまで来ると、下手な引き延ばし方は逆効果だな。単刀直入に、ぶつかる」

しばらくの間、ひな壇の辺りで顔を寄せ合っていた上層部が出した結論は、そういうものだった。明日にも、玉城たちと共に管理職の誰かが出向き、改めて幡野という人物についての事情を聴取した上で、少年係の応援を得て、早急に今川良本人から話を聞こうというものだ。無論、容疑がかかっているという形ではなく、孫として、祖父をどう思っていたか、どう感じていたかなどを聞き出すという名目らしい。

「相手は中学生だ。それほどの嘘《うそ》がつけるとも思えん。現段階まで、確固たる目撃証言や物証が出ていない以上は、ひとまず、今後も幡野のような者が現れないための方策ということにして、今川季子を説得する」

その後は、それぞれの担当の、翌日の行動予定を確認して、捜査会議は終了した。がたがたと音を立てて四方に散っていく捜査員たちの表情は、いずれもどこか割り切れなさを抱えた、曖昧《あいまい》なものに見えた。せっかく方向性が見えてきたかと思ったのに、本当にこの中に、捜査情報を漏らす者がいるのだろうか。そんなことを考えていれば、誰もが何とも居心地の悪い気分になるといった顔つきだ。

「少しだけ、呑《の》んでいきませんか？」

玉城が歩いてくるのを待ち、近くに誰もいないことを確かめて、貴子はごく小さな声で話しかけた。玉城はすれ違いざまに「じゃあ『い都川《とがわ》』で」と、行きつけの居酒屋の名を口にした。

「さあて、帰りますかね。どうだい、たまには一杯、引っかけて帰るか」

その時、ズボンのベルトをたくし上げながら、滝沢が歩み寄ってきた。手帳をしまいながら、貴子は「ありがとうございます」と出来るだけにっこりと笑って見せた。

「でも、今夜のところはやめておきます」

お先に、と言ってその場を離れる時、滝沢はわずかに口を尖らせて、妙にしょぼくれて見えた。

待ち合わせした「い都川」の暖簾《のれん》をくぐると、玉城は先に着いていて、彼の前に置かれたビールのジョッキも既に半分ほど空いていた。貴子は、席につくよりも先に
「私も生を」と注文をし、それから玉城の向かいに腰を下ろした。

熱いおしぼりで手を拭《ふ》く。お通しが置かれる。運ばれてきたビールで軽く乾杯の真似事をする。その間、互いに口をきかなかった。ようやく何口かビールを飲んで、ほうっと息をついたところで、貴子は改めて玉城を見た。やはり、疲れた顔をしていた。

「どうなってるんでしょうね」

玉城はため息だけで、それに応《こた》えた。

「何なんですか、その幡野って」

もう一度、ため息。

「季子さん、相当に取り乱してました?」

残りのビールを飲み干して、すぐにお代わりを注文し、それから玉城はようやく
「かなりね」と呟《つぶや》いた。額にかかりそうになっていた前髪をかき上げるようにして、彼はいかにも憂鬱《ゆううつ》そうに顔を歪《ゆが》め、改めて「まいった」と、長いため息と一緒に呟いた。

「ここまで慎重にやってきたのが、まるっきり水の泡だ」

「でも、ウチの人間じゃあ、ないんですよね」

「関係しそうなところには、名前はなかったけど」

「やっぱりマスコミ?」

「だとして、だ。じゃあ何で、こっちの動きを知ってる?」

思わず口をつぐんだ。決まっている。リークした者がいるからだ。玉城は表情だけで「そうだろう」と語り、貴子は目顔で頷いた。

「どっちみち、そういうことなんだ」

お料理のご注文は、と、顔だけは見覚えのあるアルバイト店員が、遠慮がちに近づいてきた。貴子は思い出したようにメニューを手に取り、いつもと変わり映えのしない酒の肴《さかな》を適当に注文した。ただ茶豆。海鮮サラダ。もずく酢。自家製コロッケは玉城の好物だ。

「だけど、よりによってこのネタをリークすることなんか、ないじゃないか。相手は子どもなんだからさ。その子の人生がかかってるかも知れないのに。何かあったら、どう責任を取るんだよ」

「それくらい、少し考えれば分かりそうなことですけどね」

「だろう？　そういう程度の奴《やつ》と仕事してるのかと思うと、本当、嫌になるよ」

玉城は苦虫を嚙《か》みつぶしたような顔になっている。

「仲間を信じられなくなったら、おしまいだっていうのに」

苦々しげな表情のままで、またため息をついている玉城を見ているうちに、貴子の中で小さく閃《ひらめ》くものがあった。

「でも――まさか、今の玉城さんの相方っていうわけじゃあ、ないんでしょう？」

玉城の眉《まゆ》が微かに動いた。沖縄出身らしい、黒目がちの丸い瞳《ひとみ》がわずかに揺れた気がした。玉城が組んでいる相手は、三十そこそこといったところの若い捜査員だ。ひと言でいえば地味で目立たない雰囲気の男だと思う。

「今、分かってるのは、少なくとも俺じゃないっていうことだけだ」

「ちょっと待ってくださいよ。じゃあ、私も入ってるっていうことですか？　そっちの方に」

すると玉城は、目の前にいるのが貴子であることに初めて気づいたような表情になって、ようやく「まさか」と力の抜けた笑みを見せた。

「俺だって、そこまでとっ散らかってやしない」

貴子は「よかった」と、自分も思わず笑顔になりながら、結局はため息をつくより他になかった。人は見かけによらないものだ。それに関しては、犯罪者も警察官も、変わりがない。

貴子自身も以前、コンビを組んだ相手に、生涯忘れられないほど手痛い目に遭わされたことがある。最初のうちは頭も切れそうに見えたし、なかなかスマートな雰囲気だと思っていた。それが、ちょっとしたことから一変した。そして、貴子を文字通り、死の一歩手前まで追い込んだのだ。立ち直りには時間がかかり、気持ちはいつまでも晴れなかった。一時期は本気で警察官を辞めることまで考えたほどだ。

そんな話は、この玉城にも聞かせたことはなかったけれど、改めて考えてみると、そういう苦い経験があるだけに、貴子は、ことに相方の反応や態度には人一倍、敏感になっている部分があるようにも思う。仕事上のことだけでなく、自分の人生そのものにおいて、裏切り者は絶対に許せないという相当に強い思いが芽生えたのは、あれ以来のことかも知れない。

「それにしても、嫌な話ですよね。相手が誰であったとしても」

ただでさえ貴子は、一度は生涯を共にしようと誓いあった夫にまで裏切られた経験を持つ。この上さらに、またもう一度似たような経験をすることになったら、今度こそ、自分で自分がどうなるか分からない。あの頃の、我ながら情けないと思いつつ、どう抗《あらが》うことも出来ないほどに打ちのめされた気分を思い出すと、とてもではないが自信がなかった。恐怖心さえ湧《わ》き起こってくる。ただ、その恐怖を、怒りなり闘争心なりに転化しようと努力しながらここまで来た。支えてくれる存在もあった。そうでなければ、ここにはいない。

「どういう顔をして、こういうことをするんだか。見てみたいもんだわ」

裏切る方はいつだって、涼しい顔をしているに決まっている。たとえ万に一つ、自分の行為が露見することがあったとしても、せいぜい少しばかり居場所を変える程度で、その後も平然と生きていくのだ。そして裏切られた方だけが、傷を抱えてうなだれる。自信をなくし、人を恐れて。下手をすれば一生涯。冗談ではない。

「その、幡野っていう男、何とかして見つけ出しましょうよ。それで、本人から聞き出すしかないんだろうから」

ただ茶豆を口元まで運び、指先に力をこめてサヤから豆を弾《はじ》き出しながら、貴子は早くも、幡野という見も知らぬ男と、その向こうに影のように存在する裏切り者を睨《にら》みつける気分になっていた。だが玉城は、依然として静かな表情のままで、料理にもほとんど箸《はし》をつけようとしない。

「見つけ出すって、誰がやると思う？　捜査の本筋からは、完全に逸《そ》れてることを」

「だって、これ以上私たちの邪魔をするようであれば、多少の人員を割いてでも、追いかける必要があるじゃないですか」

「理屈ではね。だけど、そういうことを、ウチの偉い連中が積極的にやると思うか？　誰が怪しいとか、具体的な名前でも出てくれば、それとなく調べるくらいはやるだろうけど。第一、白黒はっきりしないうちに、そう簡単に手は打てないよ」

テーブルに身を乗り出すような格好で両肘《りょうひじ》をつき、玉城は俯《うつむ》きがちに低い声でぼそぼそと話した。貴子は時折、自分たちの周辺に気を配りながら彼の声に耳を傾け、ゆっくりと箸を動かしていた。

「だからって、これで本当に身内から裏切り者が出たっていうことになったら、まず責任問題が出てくるし、それこそ社会的信用の失墜とか何とか、言い出す奴がいるに決まってる。じゃあ、上の誰かが言って、監察の方でも動くかね。この程度の問題なんて、ウチのカイシャ全体から見れば、ちっぽけなものに決まってるんだ。どのみち、捜査本部が立ち上がってる最中に、わざわざ、そんなことまでするわけない」

「だったら、うやむやのまんま？　だって、公務員法違反になるじゃないですか」

「もちろん、分かっててやってるんだろう、それくらい——ああ、こういう余計なことまで考えなきゃならなくなるっていうのが一番、嫌なんだよな。まるっきり、やる気を殺《そ》がれるよ」

玉城は、ようやくテーブルから身体《からだ》を離し、今度は背を反らすように天を仰ぐ。こんな玉城を見るのは初めてかと思うほど、彼は疲れた険しい表情をして、ため息と舌打ちを繰り返していた。貴子は、何となく意外な思いで、この本部が設置されるまでは共に過ごすことの多かった仲間を眺めていた。常に冷静で、刑事にしては珍しいほど感情を表に出すことの少ない、穏やかなタイプだと思っていたが、こういう事態が彼を刺激するとは知らなかった。

「まあ、いいや」

だが、少しの間をおいて、彼は自分に言い聞かせるように呟いた。

「これで明日もう一度行けば、逆に、あの子に対する結論は早く出るわけだし、じかに話をするのは課長あたりだろうから。そうなれば俺は、もう、あの家からは解放される。それが、せめてもの救いだ」

自分を納得させるように呟く玉城の前で、一人だけ箸を動かしながら、貴子はわずかに首を傾《かし》げて、改めて彼の顔をのぞき込んだ。

「今の相方さんて、どういう方なんですか」

「今の？　まあ、見ての通り」

「つまり?」

「音道は、どう見てる?」

もう一度、玉城の相方を思い浮かべてみた。地味で目立たない、それは一見した印象だ。だが、言葉も交わしたことはないし、間近で目つきなどを見たこともない。

「良くも悪くも、印象に残ってないですね」

「だろう? 喋《しゃべ》ってても、そうなんだ。もう何日も一緒にいるけど、今ひとつ、どういう奴だか分からない」

ふう、と息を吐き出して、玉城はようやく箸をとった。途端に、意外なほど旺盛《おうせい》な食欲を見せ始める。勢い良く料理を頬張り、すぐに白飯まで注文しながら、彼は「そっちは」と言った。

「どう。あの相方さんは」

「うちの? 滝沢さんですか。まあ、どうってことも。今日は、ちょっと、やり合ったんですけどね」

やり合った? と、コロッケにかじりついていた玉城の表情が変わった。貴子は、ことの顚末《てんまつ》を簡単に説明した。すると玉城は、ようやくいつもの穏やかな表情に戻って、「お前って奴は」と目を細めた。

「あんな大先輩に、嚙みついたのか」

「だって、黙ってないで何とか言えって言われたから」

「だからって、そこまで言うとは」

しょうがねえなあ、と、呆《あき》れたような笑い方をされている間に、貴子も、あの、猫だましを食らったアザラシのような顔を思い出して、つい笑ってしまった。

「他の連中が話してるのを聞いたけど、あの人は、かなり優秀な刑事らしいじゃないか。特殊班にもいたんだろう?」

ジョッキに残っていたビールを飲み干して、貴子はふん、と鼻を鳴らした。

「能力があることと、性格の善《よ》し悪《あ》しはべつでしょう? あの人は、刑事としては優秀かも知れないけど、性格は最悪ですからね。陰険だし、他人《ひと》の手帳を勝手に見たりするし」

玉城は半ば呆れたような表情で一瞬、こちらを見ていたが、やがてまた「まあいいや」と呟き、再び箸を動かし始めた。

「いずれにせよ、早いとこ決着がついてくれないことには、俺らは元の生活に戻れないってことだもんな」

「元の生活って? また、あの三人の身元調べをすることですか」

大振りの茶碗《ちゃわん》に山盛り一杯盛られていた白飯を、瞬《また》く間に平らげながら、玉城は、太い眉を大きく動かし、丸い目できょろりとこちらを見る。

「それは、分からないけどさ」

「今、急にまた、向こうに戻されたって、それこそ手がかりはゼロなんですから」

「まあ、それはそうだ」

コロッケに添えられていた千切りキャベツが、ソースに浸されてしんなりしている。それを箸でひとまとめにしながら、貴子は「それもねえ」とため息をついた。

「何か、報われない感じ」

「しょうがないって。俺らの仕事は、報われないのが当たり前だと思ってなきゃ」

「そんな健気《けなげ》な生き方、向いてないのに」

ふう、と満足げに息を吐いて箸を置く玉城は、ようやくいつもの穏やかな表情に戻っていた。貴子は、ソース漬けになった千切りキャベツを食べながら、密《ひそ》かに胸を撫《な》で下ろしていた。自分なりに大切だと思う相手には、いつも元気でいて欲しい。

その晩、久しぶりに昂一からメールが来ていた。シャワーを浴び、部屋にエアコンを効かせながら、缶チューハイを片手に、貴子はそのメールを何度も繰り返し読んだ。

〈――白状すると、自分なりに、やっぱり焦《あせ》ってたというか、慌《あわ》ててた部分があるのかも知れない。頭では分かってるつもりでも、現実を受け入れるには、なかなか心がついていかないものだっていうことに、最近になって気がついてる。後から後からイメージが湧いてくる気がして、夢中になって仕事はしてるんだが、少し時間がたつと、どれもしっくりこない。ゴミばっかり増えてる感じだ。時間ばかりが飛ぶように過ぎていく――〉

冒頭は、簡単な日常生活の報告だった。最近はビタミンAの類《たぐい》を多く摂《と》るように心がけているし、病状はまったく変化なく、安定しているとも書かれていた。体重は二キロほど増えたものの、それなりに動いているから贅肉《ぜいにく》にはなっていないつもりだ、とも、日焼けしたせいか、日本人に見られなくなってきたとも。相変わらず呑気《のんき》で羨《うらや》ましいことだと思っていたら、最後の方でガラリと内容が変わった。

何度読んでも、痛いほどの文面だった。初めて、彼が弱音を吐いている。救いを求めている。昴一の、こんな部分を初めて見たと思った。

暑さと疲労と、少しばかりのアルコールのせいで、すぐにも眠りに落ちてしまいそうだった貴子の脳味噌《のうみそ》は、必死で回転しようとした。今、彼に何をしてやれるだろう。

何を言ってやることが、一番良いのだろうか。

もう、帰ってきたら。

いいじゃないの。こっちで静かに暮らしましょうよ。

私が――私がそばにいるから。

そんな言葉が、果たして本当に彼の救いになるものだろうか。第一、もしも貴子が口にした言葉にすがって、昂一が、明日にも荷物をまとめて飛んで帰ってきたとして、それからどうなるというのだ。今の状況では、貴子は、昂一を成田まで迎えに行ってやることすら、出来そうにもないというのに。

〈言ってもらった方が、意外と嬉《うれ》しいことを発見。吐き出したいことがあったら、もっとどんどん書いてきて。聞くことくらいなら、出来るつもり〉

結局、それしか書けなかった。近くにいるのなら、抱きしめることも出来るし、そうしたいと思う。だが、そんな気恥ずかしいことを文字には出来なかった。

その晩は、ことに寝苦しく、エアコンのタイマーが切れる度に目が覚めた。その都度、切れ切れに、右を見ても左を見ても憂鬱《ゆううつ》を抱えている男たちがいることが頭に浮かんだ。繰り返し寝返りをうち、タオルケットを両手と両足でねじり上げるようにしながら、貴子は不快な眠りにしがみつこうとした。

翌日の午前中には、老人ホームで働くスタッフ全員の聞き込みが終了した。

結果として、事件前日の夜から未明にかけての、確たるアリバイがないと判断される人物は四人、一方、被害者である今川篤行に対して、殺意とまで言い切れないにしても、何らかの理由から悪意に近い感情を抱いていたと思われる人物は十数人に上った。とはいうものの、こちらの方は岩松みうを初めとして、大半が女性職員になる。アリバイがなく、なおかつ被害者との間に摩擦を起こすなど、問題を抱えていた人物として残ったのは、予想していたとおり、やはり長尾広士一人だった。

「第一ラウンド終了ってとこだな」

ことに昨日あたりからは、貴子たちが訪ねていく度に、あからさまに迷惑そうな顔をして、滝沢が猫なで声丸出しで話しかけたとしても、木で鼻をくくったような対応しかしなくなっていた事務局長に「またよろしく」と挨拶《あいさつ》してホームを出ると、相変わらず挑みかかってくるような陽射《ひざ》しの下で滝沢が「さて、と」と呟《つぶや》いた。

「どうしますかね、これから」

まぶしげな表情でこちらを見られて、貴子は手元の時計を見た。まだ十一時を回ったばかりだ。

「お昼には、早いでしょうか」

するとと滝沢も自分の時計を見て、「いや」と首を振る。

「そうしよう。そんで、ちょいと作戦会議といこうや」

蟬《せみ》の声が一つ、二つ、と数えられる程度に、しかし相当な勢いで響いていた。一体、この暑さはいつまで続くのだろうか。本当に。

「とんかつでも、食うか」

「――今日は、揚げ物は、ちょっと」

外に出て、まだ五分とたたないのに、もう汗が滲《にじ》んでこようとしている。バッグからハンカチを取り出しながら、出来るだけさり気なく答えると、滝沢は、わずかに口元を尖《とが》らせて「何だい」と大きく眉《まゆ》を動かした。

「吞《の》み過ぎか?」

こちらが「え」と小首を傾げている間に、滝沢は貴子から視線を外して、ずんずんと歩いていく。

「昨日、吞んだんだろう? あの、ガイシャの孫担当の奴《やつ》と」

どうして、と思った。べつに隠しているわけでも何でもないが、いつの間に見られたのかと思うと、居心地の悪い気分になる。それに昨夜は、滝沢の誘いを断って、貴子は玉城と呑んだのだ。

「食事をした程度です。普段は、彼と組んでるものですから」

「へえ、そうかい」

時折、宅配便のトラックなどが行き過ぎる道を、一列になって歩きながら、貴子は「ただ」と言葉を続けた。

「それとは関係なく、昨日は寝苦しくて、ほとんど眠れなかったので。朝になったら、何となく胃がもたれてて」

「ああ、昨夜はまた馬鹿《ばか》に暑かったもんなあ。俺も、子どもに叱《しか》られながら、冷房つけっぱなしで寝てたわ」

「叱られるんですか。子どもさんに」

「夜中までバイトしてるんだが、帰ってきたら、家ん中が冷蔵庫みたいに冷えてたってな。『お父さん、冷やしすぎだよ』とか、言われちまってさ」

蟬の声に混ざって、どこからか江戸風鈴の音が、ちん、ちん、と聞こえてきた。だが、こうも息苦しい暑さと強烈な陽射しの中を歩いていては、風流もへったくれもない。

「親父《おやじ》も形無しだわな。ちょっと前までは、子どもらが冷房でも暖房でも、つけっぱなしで寝てたりすりゃあ、俺の方が、がみがみ言ってたんだが。それに、あの、冷房ってえのは、一度つけて寝ることを覚えちまうと、もうダメだな」

目の前を歩く、この、ワイシャツに大きな汗染《あせじ》みを作り、頭の地肌まで光らせて、陽射しで半分くらい溶けかかって見える男には、何かと言い合うような家族がいるのだと、ふと思った。この、多少くたびれて見えるずんぐりした背中に、そういう子どもたちの人生も乗っている。その上で、こうして歩き続けている。

別段、粋《いき》がっているつもりもなく、こちらは身軽で結構だと思いながら日々を過ごしている。だが、それでも昨晩のように、家族になる目処《めど》さえ立たない相手への、手も足も出ない無力感や憂鬱を一人で噛《か》みしめなければならないときには、やはり何ともいえない侘《わ》びしさと共に、寂寞《せきばく》とした思いが身にしみた。

「大体、野郎のくせに、妙に細けえところがあるんだ。一方ではゴミ捨て一つ、まともに出来ねえわりに」

「――息子さんも、いらっしゃるんですか」

ずんぐりむっくりの背中から「おう」という返事が聞こえる。三人の子持ち。考えてみれば、この過酷な仕事を続けながら、男手一つで育ててきたのだ。それはそれで、大したものだと思う。

「そんじゃあ、蕎麦《そば》でも食うか。あっさり。つるっと。なあ」

古い商店街に差し掛かったところで、滝沢が振り返った。貴子は小さく頷《うなず》いて、滝沢に並んで歩調を合わせた。ようやく店が開き始めた時間帯のせいか、乾ききったアスファルトのあちこちに、打ち水の黒いシミが広がっている。やがて、「そば・うどん」と染められた幟《のぼり》の出ている、いかにも昔ながらの蕎麦屋といった構えの店を見つけると、滝沢は迷うことなく縄暖簾《なわのれん》をくぐった。

昔風の油石を張った床が、まだ水で濡《ぬ》れている薄暗い店内に、客の姿はなかった。白い上っ張りに三角巾《さんかくきん》という正統派スタイルのおばちゃんが「はい、いらっしゃいまし」と振り返る。厨房《ちゅうぼう》との仕切りになっているカウンターの上には「千客万来」という金文字の額がかかっていた。

小さな扇の形をした品書きから、滝沢はカツ丼《どん》を、貴子は冷やしおろしうどんを注文した。どうやら相方は、よほど揚げ物が食べたかったらしい。

「で、あれか」

冷たいおしぼりで顔をごしごし拭《ふ》きながら、滝沢がうめくような低い声を出した。

「落ち込んでたかい、あんたの相方さんは」

「玉城さんですか」

「玉城っていうのか。すると、あれかね、奴《やっこ》さんは沖縄か」

滝沢は一人でなるほど、なるほど、と頷いている。

「てめえの追いかけてるヤマに今度みてえな邪魔が入ったりすりゃあ、そりゃあ、面白くねえだろうよな」

「普段は穏和な人なんですが。昨日はさすがに相当、腹に据えかねてる感じでした」

「ああいう、一見おとなしそうな奴の方が、怒ると大変だもんな」

滝沢は、ビール会社の名前が入っている小振りのグラスで出された冷水を一気に飲み、「いやさ」と言葉を続ける。

「あんたに断られたもんだからさ、そんじゃあっていうんで、俺も他の奴と一杯やって帰るかって、あっちに歩いてたんだ」

「昨夜は、玉城さんと先に——」

「いいって。そんなことは。でな、あんたが店に入っていくのが見えたんでさ。ちらっと覗《のぞ》いてみたっていうだけだ」

滝沢は煙草《たばこ》をくわえながら、ちろりとこちらを見た。

「だから、変な誤解、すんなよ」

「誤解なんて、してませんよ」

「なら、結構でございますがね」

ふう、と煙を吐き出して、滝沢は相変わらずどこか皮肉っぽい、何か言いたげな顔つきをしている。こういう部分が、今ひとつ馴染《なじ》めないのだと思う。ひと言ひと言が、どうも引っかかる。ざらりと来る言い方をする。悪い人ではないにしても。

やがて注文した品が運ばれてくると、滝沢は真っ黄色の沢庵《たくあん》と薄いみそ汁がついたカツ丼を勢いよく頬張り始めた。

「午後からだが。まず、何をする」

「そうですね、まず――」

こちらは、めんつゆが服に飛ばないように気を配りつつ、不味《まず》くも美味《うま》くも、ついでにあまり冷たくもない冷やしおろしをゆっくり口に運びながら、これからの手順を考え始めた。

まずは、貴子たちが通称1 2 3《ひゃくにじゅうさん》と呼んでいる照会センターに問い合わせをして、長尾広士の補導歴、前科、前歴を確認する必要があるだろう。このシステムは全国の各都道府県警をネットワークで結んでおり、特定の個人に対して犯歴から指名手配の有無、指定暴力団構成員かどうか、薬物関係はどうか、また運転免許証番号から事故違反歴と処分歴まで、すべてが分かる仕組みになっている。

長尾広士を123を通して「総合」で照会すれば、何らかの部分でヒットする可能性は高いはずだ。岩松みうが語っていた「出たり入ったり」という彼の履歴を把握することは、長尾の生育歴を知るきっかけにもなり、現在に至るまでの交遊関係や生活状況を調べる、すべての手がかりになる。

「それから？」

「あとは――123の結果次第だとは思いますが。もしも、予想していたよりも複雑な前歴があるようなら、もう少し詳しく調べる必要が出てくるかも知れませんし、今日のところは、現在の彼の生活状況を調べるくらいでしょうか」

テーブルに向かって身体《からだ》を斜めにして、脚を組み、片肘《かたひじ》はテーブルに突くという姿勢で箸《はし》を動かしていた滝沢は、口の中いっぱいにものが詰まった状態のまま「ま、そうだろうな」と呟く。

「それとも123に関しては、今のうちにでもカイシャに連絡を入れて、本部の方から照会してもらいましょうか」

「いや、いい」

薄いみそ汁をすすり、小さく舌を鳴らしてから、滝沢は、ふう、と息を吐き出した。

「昨日みてえなこともあるからさ。今の段階から、どこの馬の骨とも分からん野郎に先回りされたんじゃあ、かなわねえ。とりあえず今日のところは、うちらで動くことにしよう。それを会議にのせるかどうかは、午後の収穫次第ってとこだ」

貴子は小さく頷きながら、だんだん塩気の強過ぎるのが気になってきたつゆの中に残っていたうどんを、箸の先で泳がせていた。滝沢は再びどんぶりを持ち上げながら「まあ、それも」と、うなるように呟く。

「他の連中の動きを見てから、かな」

「他の？」

「今日また、何かしら新しい展開があるかも分からん。とりあえず今頃はうちのお偉いさん連中が、例の母親のところに行ってるはずだろう？」

ちぇっ、というような小さな舌打ち。それから滝沢は舌で歯をせせるような顔つきをする。

「丁と出るか半と出るかってとこだろうが。これでシロってことがはっきりすりゃあ、こっちもまた、もうちょいと本腰入れてかからなきゃならん、てことになる」

「もう一つのセンも、残ってますよね。あの、滝沢さんとお仲良しの方の」

お仲良し？　と、大きく眉を動かして、それから滝沢は額に汗の浮いた顔で、にんまりと笑った。

「お仲は特別、よかぁ、ねえよ。昔、同じ署にいたことがあるっていう程度でさ」

「でも、よく呑みに行かれてるんじゃないですか？」

「そりゃあ、何年間かは一緒にいたわけだから、ある程度の気心は知れてるし、一杯引っかけて帰るかってえときには、声をかけやすい相手だからな」

たちどころに空にした丼《どんぶり》をテーブルに戻すと、滝沢は、ちらりと店の奥の方を見て、空になっていた冷水のグラスを片手に、さっと立ち上がる。他の客が現れる気配もなく、店の片隅にしつらえられた古い型のテレビを見上げていた白衣のおばちゃんが、「あらあら」と声を上げた。

「お冷やですか？　声、かけてくださいよ」

「いいって、いいって。ちょっとした腹ごなしだ」

また、例によって猫撫《ねこな》で声を出して、滝沢は「美味かったねえ」などと、明らかな世辞と思われる台詞《せりふ》を口にしている。こちらのうどんが、こんなにしょっぱいつゆなのだ。カツ丼の出汁《だし》だって、たかが知れている。それに、何だか妙に茶色くて硬そうなカツだったではないか。

「この店は、もう何年になるんだい」

「ここ？　もうねえ、かれこれ四十年以上になるって聞いてますけどね。私はパートだから」

「へえっ、四十年か。そりゃあ老舗《しにせ》だ。隠れた名店ってわけかね」

「今のご主人が一応、二代目っていうことだから」

店の奥で立ち話を続ける滝沢をちらちらと眺めながら、貴子は自分も急いで残りのうどんをすすった。だが滝沢は、貴子が箸を置いたのを見ても、涼しい顔で世間話を続けている。時折は声をひそめ、また時折は笑い声を上げながら楽しげに喋《しゃべ》っている様子を眺めていると、まるでずっと前からのなじみ客のように、すっかり打ち解けて見えるから、どうにも不思議だ。

「あんだけ不味くても四十年、続くもんか。たいしたもんだ」

案の定、店を出るなり滝沢はふう、とため息をつき「まったく」とうなるように言った。

「こんなことなら、俺も蕎麦かうどんにしときゃあ、よかったな。水でも飲んで薄めとかねえと、それこそばっちり胸焼けしそうな油、使いやがって」

「こっちのも、麺《めん》は普通ですけど、相当しょっぱかったです」

口の端に爪楊枝《つまようじ》をくわえたままで、日焼けした顔を一層テカらせながら、滝沢はつまらなそうな顔で「そうか」と頷いた。

「要するに、今日の俺の勘は外れるらしいってことだ。さっきのばあさんにも探りを入れてみたんだが、老人ホームの連中も、特に食べに来たりはしてねえっていうしな」

「そんな話、してたんですか」

「あんなばばあと、他に何話すんだい。口説きたくなるタイプでもねえのに」

「タイプだったら、口説くんですか」

どこかに児童公園でもないものだろうか。人に聞かれない場所からでなければ、123に照会など出来ないと考えながら、何気なく言い返して、ふと見ると、滝沢が不思議そうな顔でこちらを見ていた。頬の辺りをわずかに動かして、笑おうかどうしようか迷っているような顔で、ただ首を傾《かし》げている。

「何ですか？」

「何でもありませんよ」

とにかく、人気《ひとけ》のない場所を探すことだ。やがて路地を曲がったところに鬱蒼《うっそう》と樹《き》の生い繁《しげ》った小さな公園を見つけた。脳味噌《のうみそ》が震えるほどの蟬《せみ》の声が溢《あふ》れている。多少は涼しいだろうと思ったが足を踏み入れるなり、すぐに耳元を蚊の羽音がかすめていった。

「123です、どうぞ」

やがて携帯電話の向こうから、事務的な声が聞こえてきた。貴子はベンチに座って手帳を開き、長尾広士の住所を読み上げた。

「本籍は不明ですが、東京のはずです。総合でお願いします」

「長尾広士で総合ですね。お待ちください」

それから一分もたたない間に、携帯電話を通して女性の声が聞こえた。

「長尾広士。本籍、東京都墨田区押上四丁目で、生年月日が昭和四十九年五月七日の男性でしたら、その氏名で一人、A号ヒットしますが」

蟬時雨《しぐれ》に包まれながら、貴子は「お願いします」とペンを構えた。

「了解。そのものにつきましてはA1が、ええ、五件ですね。内訳は万引きが三回、器物損壊二回。それから――02一件、04、05がそれぞれ二件となっています」

照会センターで使う符丁として、A号とは犯歴を指す。さらに、その中でA1は微罪処分となったもの、02、04、05とは、それぞれ強盗、窃盗、公務執行妨害を意味していた。ちなみに03といったら強姦《ごうかん》になる。

貴子は忙しくペンを動かしながら、続いて、それらすべての犯歴についての補導・逮捕された時期と、処分・判決の内容を書き留めていった。最初の補導は昭和六十二年。本人の生年月日から考えると、馬鹿《ばか》に早い気がする。それから二年ほどの間に立て続けに万引きを繰り返し、平成元年には窃盗容疑で補導。初等少年院に送致。七ヵ月後に仮退院。

平成二年、暴力事件を起こして逮捕。中等少年院で一年。平成三年、強盗。同じく中等少年院。平成四年には、ついに少年刑務所に収監。翌年、仮出所の数ヵ月後に逆戻り。最終的に二年半を過ごして仮出所している。その時点で二十二歳だ。ここまでの記録を眺めただけでも、この先、どれほどの極悪人になるかと思うほど見事な犯歴だった。要するに、普通の少年が中学、高校、その後、大学まで行こうという年代のほとんどを、長尾は荒れ狂ったように過ごしていた。この期間、ほとんどまともに親元で暮らしていたという印象すら、ないではないか。

「Y号、Z号については、どうでしょうか」

「Y号、Z号ですね。そちらについては、ヒットはありません」

つまり、薬物関係、暴力団関係とのつながりはないということだ。

「了解。ありがとうございました」

「以上。１２３《ひゃくにじゅうさん》。担当、井口《いぐち》でした」

１２３との通話を終えて携帯電話をしまうと、貴子は手帳を見つめたまま、頭の中を整理しようとした。長尾広士の不敵な表情が思い出される。確かに今だって、可愛《かわい》らしいエプロンなど引っかけて老人の世話をしているよりは、何人かの子分でも引き連れて、盛り場をうろついている方がよほど似合っているような印象の男だ。

——何が、あの男をそこまで駆り立てて、それで、何が立ち直らせたんだろう。

少し離れた木陰で、滝沢はのんびりと辺りを見回しながら煙草を吸っている。その姿を視界の片隅に留めながら、貴子はまず自分なりに、今後の捜査方針を組み立ててみようと思った。滝沢は、きっと聞いてくる。あんたなら、どうする、と。その時に、答えを間違えないようにしなければならない。

「どうだったい」

やがて、滝沢がこちらを振り返った。

「やっぱりヒットしました。微罪から強盗、窃盗、公務執行妨害などです。検挙された時期から計算すると——中学生になるかならないかの頃から、二十歳過ぎまで、岩松みうの言っていた通り、文字通り出たり入ったりですね」

歩み寄って、手帳を見ながら報告する。頭上に繁っているのは桜の木らしかった。花の咲く季節だけは、淡い幻のように美しく見える木も、夏も盛りのこの頃は、黒っぽい無骨な幹に、ただがさがさと葉が茂るばかりで鬱陶しく、情緒のかけらも感じられない。

「なるほど、何とまあ、お忙しい十代を過ごしたもんだな」

貴子の手帳を横からのぞき込んで、滝沢はわずかに眉《まゆ》を動かす。

「それにしても、ここまで派手にやらかしておいて、よく、ぴったり止《や》んだもんだ。そこから先は、まるっきり、何にもねえってことだろう?」

「記録によれば、そうなりますね」

「て、ことは、何か、あったんだな」

やはり、滝沢も同じことを考えていると思いながら、その指先でフィルター近くまで短くなった煙草《たばこ》が、ぽとりと地面に落下するのを、貴子は何となく眺めていた。乾いた土の上で、ころ、ころ、と少しだけ転がった吸い殻を、滝沢の靴がぎゅっと踏みつけた次の瞬間、視界にぱっと白いものが広がった。滝沢が、窮屈そうな格好でしゃがみ込み、つぶれた吸い殻をつまみ上げているのだ。

「そう、非難がましい目で見るなって。ちゃんと捨てるんだから」

口をへの字に曲げて、ぺしゃんこになった吸い殻を持ち、滝沢は辺りを見回している。そして、少し離れたところにくずかごを発見すると、がに股《また》で歩いていった。貴子は、つい笑いそうになりながら、その姿を眺めていた。べつに非難までするつもりはなかった。ただ、まったく、この親父《おやじ》は、と思う程度のことだ。だからといって相手の唾液《だえき》が染《し》み込み、しかも靴で踏みつけにされたものを、わざわざ拾ってやる気になど、とてもなれない。こういう相手と仕事をしていることを、密《ひそ》かに嘆く程度のつもりだった。

「やれやれ、だ。そんで、何だっけか。何、話してたんだっけ」

「どうして、長尾の非行がぴたりと止んだかです」

「そうそう、それだ。何か、あったんだ。野郎を改心させるような、何かがさ」

蝉時雨の下で、滝沢は考えを整理する表情になり、ふん、と大きく鼻を鳴らすと、しばらくの間、黙り込んだ。貴子は、滝沢が何らかの結論を出すのを待つつもりで、自分は何となくぼんやりと、葉の繁る桜を見上げていた。折り重なる枝葉の向こうから、わずかながら陽の光が透けて見える。その煌《きら》めきが痛いほどだ。

――本当に、見えなくなるんだろうか。こんな光さえも。いつか。

昴一の眼は、本当に治療する方法はないのだろうか。宇宙旅行さえ夢ではなくなった今の時代に、ただ手をこまねいているより他に、どうすることも出来ない病気があるなんて。

夏場、日本とイタリアの時差は七時間。こちらが正午を回ったところだから、向こうではそろそろ夜明けを迎える頃だ。普段から早起きの昂一のことだから、もしかすると、もう起きているのかも知れない。新しい朝を迎え、眼が覚める度に、彼は自分の目に光が届くことを、どう感じているのだろう。もしも貴子だったら――。

「おぉい。行くぞ。ほらっ」

はっと気づくと、いつの間にか公園の外に出ている滝沢が、陽射《ひざ》しの下でこちらを向いていた。貴子は慌《あわ》てて彼の後を追った。歩み寄ると、滝沢はまた少し不思議そうな顔でこちらを見ている。貴子は「すみません」と小さく頭を下げた。

「何だい、腹具合でも悪いか」

「――お腹《なか》が痛くてぼんやりはしません」

滝沢はわずかに口を尖《とが》らせて「ま、そうだが」と呟《つぶや》き、すたすたと歩き出す。

「どこへ行きますか」

「あんたなら、どうする？」

おいでなすった。そういえば、それをさっき考えようとしていたのだ。いけない、今日は本当に集中力が落ちている。

「その、きっかけを探ることですよね」

「どうやって」

「すぐに身内に当たるわけにもいかないでしょうから——とりあえずは当時の事件関係者に当たるか」

言っていて、何となく的外れなことは自分でも分かった。当時の事件を掘り起こそうというのではない。長尾本人の過去だ。それを調べる方法を考えている。

「——当時の、警察の供述調書とか公判記録が調べられればいいと思うんですが」

「どこで」

「——事件を扱った署とか」

「未解決の事案か微罪処分てヤッならともかく、少年審判なり裁判なりまで持ってったヤマなら、うちらで作った書類は全部、よそに回ってるだろうよ」

「だとすると——」

「まあ、最終的には裁判所に提出されてるはずだわな。すると、担当した弁護士の手元にも残ってる可能性はあるが」

弁護士、と呟いて、貴子はわずかにため息をついた。これから当時の担当弁護士を探し出したとして、彼らがそう簡単に警察の捜査に協力してくれるかどうかは、疑わしい。もちろん、事情を説明すれば資料は見せてもらえるかも知れないし、弁護士自身が記憶している可能性もあるだろうが、そのためには、こちらも相当に覚悟してかからなければならない気がする。少なくとも貴子は、警察と弁護士とは、そういう間柄にあるという印象を持っていた。

「さすがの女刑事さんでも、まだ知らねえことが、あるもんだな」

滝沢は、片方の腕に掛けていた上着を、今度は肩に担《かつ》ぐようにしながら、にんまりと笑ってこちらを見ている。貴子は「すみません」と小さく頭を下げた。

「その上、今日は、また馬鹿に素直じゃねえか。何だい、本当に腹具合でも悪いんじゃあ、ねえんだろうな」

「――滝沢さんは、お腹が痛くなったら、性格が変わったりするんですか」

滝沢は大きく眉を動かし「え」と言った顔をする。それから片方の口元だけを歪《ゆが》めて、珍しく声を出して笑った。喉《のど》の奥に何か絡《から》んでいるような、妙にいがらっぽい笑い声だ。

「もしそうなら、あんた、俺の腹が痛くなればいいとでも、思ってんだろう」

「そんなこと――」

「生憎《あいにく》、俺もあんたと一緒でな。腹ぐらいこわしたって、性格なんて変わるもんか。まあ、滅多にこわしたり、しねえけど」

ひとしきり笑った後で、滝沢は、とりあえず検察庁に行くことにすると言った。そこで申請すれば、公判記録の閲覧が可能なのだという。貴子は「そうなんですか」と滝沢を見ながら、だてに長い間、刑事を続けているわけではないと改めて感心していた。

「生育歴とか家族歴とか、そのへんを調べようと思うんなら、これが手っ取り早いだろうさ。何たって、公判記録なら一番、整理されてるはずだし」

喋《しゃべ》りながら自分の携帯電話を取り出し、滝沢は捜査本部に報告の電話を入れた。とりあえず前科《マエ》のある人物が引っかかったので、検察庁に記録の確認に行くという言い方をしている。長尾の名前は出さなかった。

「あんたってさ」

電車を乗り継いで霞《かすみ》が関《せき》に向かう途中、しばらく口をつぐんでいた滝沢が、思い出したようにこちらを見た。揺れる電車の騒音に包まれながら、貴子はわずかに首を傾《かし》げて滝沢の方に顔を寄せた。

「時々、面白えな」

「何が、ですか」

「いやさ、時々、妙ちくりんなこと、言うよな」

姿勢を戻して、滝沢を見る。相変わらず清潔感のかけらもない顔が、横目でにんまりと笑っていた。何を指して、そんなことを言うのかと思ったが、改めて聞き返すのも面倒だった。

――私は、こうやって毎日を過ごしてる。好きも嫌いも関係なく、こんな相方と二人で、一日中、見えないゴールを探し回って。

その間、昂一はどうしているのかと思う。だが、自分から望んで旅立ったのだ。不安を抱えていようと、いい作品が出来なかろうと、それは彼の問題だ。そうとでも思わなければ、たまらない。

「あんた、こっちに通ってたことはあるのか」

霞が関も、大変な蟬時雨《せみしぐれ》だった。緑が多く、また背の高い建物が多いせいか、意外なほど心地良い風が吹き抜ける。階段を上って地上に出ると、滝沢が汗を拭《ぬぐ》いながら空を仰いだ。

「刑事になったばかりの時に」

ここからは警視庁本部も目と鼻の先だ。滝沢は小さく頷《うなず》いて、一つ息を吐き出した後で「まったくな」と呟いた。

「俺らは俺らで、やっぱり行ったり来たりだよな。ついこの間まで、こっちに通ってたと思ったら、今は下町だ。最後は一体、どこで終わりになるんだかなあ」

ビルの谷間から入道雲が見えていた。貴子は、どう返答すれば良いかも分からないまま、熱い風に吹かれていた。

東京地方検察庁の入っている中央合同庁舎に着いたのは、一時過ぎのことだ。そこで申請手続きをしてから、実際に長尾広士の公判記録を閲覧するまで、ゆうに三時間以上も待たされた。

その間、腕組みをしたまま長椅子《ながいす》にもたれ、深い眠りに落ちているらしい相方を横目に、貴子はこれまでメモしてきた手帳をひっくり返しては、話を聞いてきた一人一人のことを思い返そうとしたり、また、気がつけば昂一のことを考えたりして過ごした。考えてみれば、見知らぬ誰かと向き合ったり、相手の出方を探る必要もなく、ただ気が向くままに、こうしてぼんやりと過ごせる時間そのものが、実に久しぶりだった。

「馬鹿《ばか》に待たせやがるなあ」

大きなあくびとともに滝沢が目を覚ました。目脂《めやに》のついた目で、どろりと周囲を見回し、腕時計を覗《のぞ》いて舌打ちをする。

「ったく。何様のつもりなんだよなあ。大体、検察ってところは、俺らを一段、低く見ていやがるんだ」

「そうなんですか？」

「決まってんだろうよ。サツっていやあ、てめえらの出先機関か何かみてえにな、言いなりになると思っていやがる。てめえらに公判維持の能力がねえときだって、こっちの捜査能力ばっかり問題にしやがって。人のことを手足みてえに使って、何とも思わねえんだからな。その上、威張っていやがるだけで、融通はきかねえときてる。だから、公務だって言ってんのに、こんなに待たせやがるんだ」

貴子だって事件の捜査に当たったり、また被疑者の取調べまでこぎ着けている段階で、検察の方から細かく指示が出ることは知っている。証拠固めにしても、相当にきっちり詰めなければ、そんな程度では起訴に持ち込めない、または公判を維持できないからと、突き返されることは珍しくないという話も聞いていた。

「滝沢さん、ここ、禁煙です」

苛立《いらだ》った表情で煙草を取り出す滝沢に、そっと注意した。相方は、ちっと舌打ちをしながら、煙草の吸えるところを探して、待合室を出て行った。ついでに顔でも洗って、少しはさっぱりした顔で戻ってきて欲しかった。

「長尾広士の公判記録の閲覧希望者は」

ほとんど入れ替わりのように、いかにも神経質そうな、顔色の悪い男性職員が、待合室のドアを開けて声をかけてきた。貴子が立ち上がると、三十そこそこに見える男は感情のないような顔でこちらを見る。

「滝沢さん——ですか」

「滝沢さんは今、煙草を吸いに行っています。すぐに戻ります」

申請書にはフルネームを書き込んだはずだった。貴子を見て「滝沢保」という氏名に見えるのかと思うと、融通がきかない、と言っていた滝沢の言葉が思い出されて、つい笑いそうになった。

2

長尾広士の確定訴訟記録として、いちばん最後に残っているものは、平成五年の強盗致傷事件に関するものだった。それなりの厚みを持った記録で、それは、この事件がある程度、複雑な要素を孕《はら》んでいたり、また重大性があったことを示しているようにも思えた。

東京地方裁判所刑事部と大書された訴訟記録を、貴子は最初から丹念に見ていった。まず、事件名が「強盗致傷・銃砲刀剣類所持等取締法違反」となっている。思っていたより、さらにものものしいようだ。

「大方、何か持って歩いてたんだろうな。粋《いき》がってたんだかどうだか知らねえが」

隣から覗《のぞ》いている滝沢も、わずかに身を乗り出してきた。

事件名と共に被告人・長尾広士、弁護人の氏名などが書き込まれている。次のページからは、前科調書依頼書、公判期日表、手続き確認メモ、押収《おうしゆう》物総目録などが続いたが、その押収物総目録の中に、「バタフライナイフ一本」という記述があった。ポケットにでも潜ませていたものが、そのまま銃刀法違反とされたか、または、そのナイフを使用して、被害者を脅すなどしたのか。

犯行内容は記録目録、訴訟費用、保管金受取票などに続いて、「第一分類」という中表紙がついた後の、起訴状に記載されている。

第一

平成五年九月一六日午前一時半ころ、東京都台東区千束一丁目二二番地前路上において、前方から連れだって歩いてきた尾原毅（当二七年）、柴山裕（当二九年）、井本正男（当三〇年）の三名に対し、いきなり『道をふさいだ』『邪魔をするな』と因縁をつけ、三名がこれを避けようとすると、今度は『黙って行くつもりか』『金をおいていけ』と脅迫し、同人らがこれを拒否すると、三名の顔面、腹部などを次々に一〇数回にわたり手けんで殴打《おうだ》し、倒れたところを今度は頭部、背部、腹部、下肢にわたって一〇回ずつ足蹴《あしげ》にする暴行を加え、『俺の言うことが聞けないのか』『俺を誰だと思っている』『生意気な野郎どもだ』等と語気荒く脅迫し続け、その反抗を抑圧して、同人等所有の現金合計四六〇〇〇円在中の財布三個を強取したが、その際右暴行により、同人等に対しそれぞれ加療約一〇日間から一ヵ月間を要する頭部、顔面打撲傷、上口唇部亀裂創《きれつそう》、口腔内《こうくうない》裂創、腹部陰部挫創《ざそう》、肋骨《ろっこつ》骨折の傷害を負わせ、

第二　業務その他正当な理由による場合でないのに、刃体の長さ約一〇・七センチメートルのバタフライナイフ一本を携帯したものである。

罪名及び罰状

第一　強盗致傷　刑法第二四〇条前段

第二　銃砲刀剣類所持等取締法違反同法第二二条、第三二条

平成五年当時といえば、長尾は十九歳だったはずだ。当時から、ある程度恵まれた体格だったと仮定しても、少年であることに変わりはない。それが、自分より十歳近くも年上の、しかも三人組の男に、「生意気だ」などと因縁をつけた上に、ほとんど一方的に暴行をはたらいた格好になっている。無茶というか、破れかぶれというか、相当に手に負えないという印象は否《いな》めなかった。

訴訟記録の第一分類は、起訴状に続いて、第一回から判決宣告までの公判調書（手続）が綴《と》じられている。

ついで第二分類になると、略語表に続いて検察官と弁護人双方からの証拠等関係カードに入る。事件に関連するすべての調書や証拠、また証人などを、検察側と弁護側とが、たとえていうならばトランプの持ち札のように列記して、双方が互いに、それらの内容に対して同意、不同意を判断するものだ。

相手の言い分に対して異議を唱えるつもりがない、主張が食い違っていないという事物に関しては、争う必要はないので「同意」を示す。反対に、主張が食い違う、または信用できない、不利になると判断されるなどの理由から「不同意」としたものについてのみ、法廷で審理することになる。

ついで緊急逮捕手続書。事件後、長尾は現場から逃走したものの、その直後に通報を受けて駆けつけた警察官により、現場からそう離れていない場所で発見、緊急逮捕されている。その際に、「うるせえ」「お前らには関係ねえ」などと、激しく抵抗したことも記されていた。

「ちょっとした野良犬《のらいぬ》か、野獣並みってとこじゃねえか」

滝沢も頬杖《ほおづえ》をつき、ふうん、と唸《うな》るような声を出している。確かにここまで読んだ限りでも、長尾広士の少年時代がいかに荒《すさ》んだものだったかがよく分かる。それなのに、どうしてこの事件を境に、彼はまともになったのか。この厚い資料を読み通せば、その謎《なぞ》が解けるのだろうか。

「小便してくっから。続き、読んどいてくれや」

かたん、と席を立って、滝沢が出て行った。滝沢が、実は少しばかり老眼が出始めているらしいことは、貴子も何となく気づいている。何かを見るとき、目を瞬《またた》いたり、顎《あご》を引いたりすることが少なくないからだ。今のところ老眼鏡などは使っていない様子だが、こういう資料に目を通すのは、実際にはなかなか骨が折れるのかも知れない。

捜索差押調書、押収品目録、見分結果報告書、実況見分調書などが続き、事件関係者による供述調書が始まる。被害者によるもの。目撃者によるもの。

それらの中に、長尾惣治《そうじ》（六七歳）からの供述調書というものもあった。

一　私は長尾広士の祖父です。私の息子が、広士の父親になります。孫は昭和五六年三月、六歳のときに両親とは離ればなれになりましたので、その後は私と妻の千栄子《ちえこ》が孫を引き取り、育ててきました。
二　本日、孫のことについてお尋ねですので、孫の日頃の生活のようすや性格などについてお話しします。

住所は、現在の長尾の住所と同じ、墨田区押上四丁目となっていた。職業は豆腐製造販売業となっているから、昔も今も変わりがないということが分かる。貴子は片手にペンを持ち、ところどころメモをとりながら、長尾の祖父による供述調書を読み進めた。

長尾広士は、小学校入学直前に両親のもとから祖父に引き取られたという。当時は両親に会いたがり、泣いてばかりいた長尾は、小学校に入学してからも、友だちもあまり出来ず、家に引きこもりがちの少年だった。当時から身体《からだ》は大きい方ではあったが、体力はなく、比較的病弱で、時には入院することなどもあり、少し体調が良いときなどに祖父が外で遊ぶようにと叱《しか》っても、すぐにいじめられて帰ってくるような子どもだった。

それが、小学校の高学年になる頃から、目に見えて体力がつき、健康になると同時に、次第に学校をサボったり、帰宅時間が遅くなるようになり、ときとして反抗的な態度を見せるようになっていく。祖父母に対しては怒鳴り声を上げたり、また暴力をふるうような真似《まね》もしなかったが、家の外では喧嘩《けんか》などをして、時には怪我《けが》をして帰ってくるようになった。学校からの呼び出しも増え、同級生の親などから苦情を持ち込まれたりする回数も増えていったらしい。

やがて、盛り場などをうろつき、万引きを繰り返すようになり、最初の頃は祖父母のいずれかが頭を下げて回っていたが、平成元年、このままでは手に負えなくなるからと、ついに初等少年院に入れられることになる。

――私たち夫婦は真面目《まじめ》にこつこつと生きてきました。人様に後ろ指をさされるようなことは一度もなく、たった一人の孫である広士のために、今も精一杯、暮らしています。ですが正直なところ、どうしてこのように、孫の広士が人様にご迷惑ばかりかけてしまう子どもになったのか、分かりません。私たち夫婦の育て方が間違ったと言われれば、それまでなのかも知れません。たった一人の孫だからと、甘やかして育ててしまったのかも知れません。ですが、本当は人一倍心の優しい子どもなのだと、私たちは今でも信じています。これまでも繰り返し、更生するように諭してきたつもりですが、今回、ここまで人様にご迷惑をかけることになったからには、本人のためにも厳しく罰していただき、自分の罪に気づいて、一日も早く真人間に戻るように、どうか、皆さんのお力を貸していただきたいと、願っております――。

長尾広士は、小学校に入る前に、両親から引き離された。なぜ。

「そのことが、彼の人格形成に影響を及ぼしていることは、確かでしょうね」

手洗いから戻ってきた滝沢に、簡単に説明をし、貴子は微《かす》かにため息をついた。一体、長尾惣治の息子は、どうしてしまったのだろうか。広士を残して、どこへ行ったのか。母親は、どうしているのだろう。

「だが、これだけじゃあなあ」

滝沢も、今ひとつ納得がいかないような顔で顎のあたりをこすっている。手洗いのついでに吸ってきたらしく、微かに煙草《たばこ》の匂《にお》いがした。

続けてページをめくっていくと、バタフライナイフの任意提出書、その領置調書、被害者三名の診断書、それから長尾本人による、警察署での供述調書が四通、五通と続く。

これは、取調べをする側からすれば当然のことで、逮捕した当日から起訴までの間中、何度でも同じ質問を繰り返しては、疑問点や矛盾点などを問いただしていくから、その結果として増えることになる。回数が度重なるにつれ、供述の内容が変わっていったり、詳細になっていくのが通常のパターンだ。

また、幼い頃の思い出や、育った環境、人間関係などを語らせることで、被疑者の背景、性格を探ることもある。犯した罪の重大性にもよるが、要するに裁判に持ち込まれるほどの容疑で逮捕され、取調べを受けるということは、それまでの人生そのものについて、洗いざらい調べ上げられると思わなければならないということだ。

こういう取調べを毎日続けていると、当初は投げやりで感情的な被告人でも、次第に諦《あきら》めの気持ちが生まれ、やがて反省の言葉を口にするようになったり、丁寧になっていく。

この資料を見ても、最初の調書では、長尾は事件当日の行動については「むかついたから」「何となくイライラしており」「面白くないと思い」などという言葉でしか表現しておらず、いちばん最後に「あそこまで大怪我をさせるつもりはありませんでした」という、とってつけたような言葉で終わっている。

それが、警察官による再三の聴取の末に、最後の検察官による聴取ともなると、最終的には「二度とこんなことを起こさないよう、今度という今度は、心から反省しています」などという殊勝な言葉が見られるようになっていた。まあ、通常はそんなものだ。この先、いくら犯罪を繰り返す人間でも、ここまで来た段階では、そう言わざるを得ない雰囲気が出来ている。

ましてて、この事件が初犯というわけではない長尾にしてみれば、その程度の言葉でも、とりあえず口にしておく方が自分にとって多少なりとも有利に働くことくらいは、既に十分に承知していただろう。無論、中には心の底からそう思う被疑者だって少なくはないとも思う。ただ、その決意が長続きするかどうかは、また別の問題だ。

身上調査照会回答書。第一回公判手続調書と一体となる被告人供述調書。ここからは公判の都度やり取りされた、質疑応答風の証人尋問調書が続く。被害者。目撃者。元学級担任。祖父——。ご苦労なことだ。こうまで問題児に育ってしまった孫のために、この祖父は何度、警察や裁判所に出向いてきたことだろうか。

「本部に、電話入れてくるわ」

滝沢がまた席を立った。貴子は小さく頷《うなず》いて、その後ろ姿を見送り、手元の時計を見た上で、改めて証人尋問調書に目を落とした。さんざん待たされたお蔭《かげ》で、既に四時半を回ろうとしている。早く最後まで目を通さなければならなかった。

【弁護人

あなたは被告人のお祖父《じい》さんですか。

はい。

職業は何ですか。

豆腐屋をしています。

今だれと住んでいますか。

私と妻と、被告人です。

あなたの子どもは何人ですか。

被告人の父親にあたる息子が一人いましたが。

その息子さんはどうしていますか。

死にました。

亡《な》くなっているんですか。

これは、被告人も知らないことで、今日までずっと黙っていたことです。

どうして亡くなったんですか。

私の息子は、実は、何ものかに殺されたのです。

それは、いつのことですか。

昭和五六年の春です。

その事件について、少し詳しく聞かせてもらえませんか。

息子は大学を出て、電気関係の企業に技術者として採用されました。自慢の息子で、私も妻も、息子の将来を楽しみにしていました。

息子は二六歳の時に、同じ職場で働いていた、一つ年上の女性と結婚しました。萌子《もえこ》さんという人で、明るくてとても面倒見の良い、可愛らしい女性でした。

昭和四七年に女の子が生まれました。昭和四九年には男の子が生まれました。それが今回の被告人である広士です。

昭和五六年は、被告人が小学校に上がる年でした。三月二二日は日曜日で、久しぶりに私たちも息子たちと一緒に出かけて、被告人の勉強机を買ってやる約束をしていました。買い物をして、食事をして、帰ってこようと決めていました。

約束の時間になっても息子たちがやってこないため、アパートに電話をしてみましたが、電話にも出ません。胸騒ぎがして、私が自転車に乗って、息子たちのアパートを訪ねていったところ、玄関の鍵《かぎ》は閉まっていました。留守かとも思いましたが、普段から約束を忘れたり、破ったりするような息子ではありませんでしたから、大家さんに頼んで、アパートの鍵を開けてもらいました。すると、手前の台所から、奥の六畳間までが血の海になっていて、息子と孫娘、被告人が血を流して倒れていたのです。

三人ですか。

三人です。

息子さんの奥さんは、どうしていたんですか。

分かりません。そのまま行方が分からなくなったのです。

その後は、どうなりましたか。

分かりません。見つからないのです。】

3

捜査本部に報告の電話を入れた後、ガラス窓越しに霞が関の景色を眺めながら、滝沢は新しい煙草《たばこ》に火を点《つ》け、やれやれ、これからどういう展開になるのかと考えていた。とりあえず今日の段階で、長尾広士の前歴をひと通り把握することにはなるだろう。ここまでの道筋は、間違えてはいないはずだ。問題は、ここから先だった。

耳の底には、たった今携帯電話の向こうから響いた「頼むぞ」という上司の声がこびりついている。だが、マエが気になる人物が浮上したという、それだけで、今回のヤマへの何の足がかりが見えてくるというのか。それほど単純なものなら、苦労はいらなかった。

――孫の方は、完全にシロだろう。そう判断することになった。宝来については、今のところ何の報告もない。

上司は、そうも言っていた。要するに、手詰まりな状態は変わっていない。ここで、長尾のことを報告すれば、本部の空気は、また変わるに違いない。喜ばせてやりたいのは山々だ。だが、糠《ぬか》喜びでは仕方がない。

別段、音道の勘に従うというわけではないが、滝沢自身も、長尾が本当にクサいとは、どうも思えなかった。ただ、気になるのだ。たとえ、野郎がこのヤマに関わっていなかったとしても、何となく、もう少し掘り起こしてみたい何かを感じる。――だからって、単なる趣味で、追いかけてるような暇ぁ、ねえわけだし。

窓の外には、相も変わらず灼熱《しゃくねつ》地獄のような東京の景色が広がっている。世の中の男どもは、よくもまあ、こんな毎日をスーツにネクタイで乗り切ろうとしているものだ。自分も含めて。

ゆっくり煙草を吸い、閲覧室に戻るなり、音道が待ち構えていたように「滝沢さん」とこちらを見た。何があったのかは知らないが、今日は朝っぱらから、今ひとつピントが合っていないような、音道らしくない雰囲気だったのが、一変している。

「祖父の証人尋問です」

「またか。今度は、何て言ってるんだ」

椅子《いす》を引き、改めて音道の隣に腰掛けるなり、女刑事は意気込んだ様子で分厚い公判記録を指さして言った。

「殺されてるらしいんです。長尾広士の父親と、それから姉も」

開いたままになっている記録を机の上で滑らせて滝沢の方に近づけ、音道は数ページ前まで遡《さかのぼ》るように記録をめくる。その目と、一瞬、視線を交わし、滝沢は蛍光灯の明かりの下で、多少の努力で目の焦点を合わせながら、公判記録に目を落とした。

【弁護人】

その後のことを教えてください。

孫娘と被告人は腹を刺されていました。息子は腹と首にも傷があり、その首の傷が致命傷だったと、後から聞きました。私が発見した時、息子は既に死亡していましたが、二人の孫は、まだ息がありました。ですが病院へ運ぶ途中で孫娘は死亡し、被告人だけが、かろうじて生き残りました。

そのことを、被告人は知っていますか。

知りません。今日まで一度も、話したことはありませんでした。

それは、どうしてですか。

事件当時、被告人はまだ小学校にも上がっておらず、生命はとりとめましたが、大けがをしておりました。病院に運ばれて、大変な手術を受けて、意識が戻るのにも何日もかかりました。やっと話せるようになると、両親や姉を探す様子はありましたが、事件のことについては、何一つ覚えていないようでした。

その後も、被告人は事件については何も言わなかったのですか。

言いませんでした。その時に世話になったお医者さんも、無理に思い出させない方が良いだろうと言いました。おそらく心の傷が深いだろうとも言われました。

落ち着いてから、あなたの方から話してやることは、しなかったのですか。

しませんでした。私は事件の現場を見ていますので、あのように残酷でひどい様子を、幼い子どもが覚えていないのならば、むしろ、その方が良いと思ったからです。それに、私自身が当時は大変なショックを受けてしまい、しばらくは店も開けられないような状態が続きました。出来ることなら夢だと思いたいと、私も思っていました。

幼かったときの被告人は、両親や姉に会いたがりませんでしたか。

小学一年生の六月くらいまで、被告人は学校へ行くことが出来ませんでした。入院中は、「どこへ行ったの」「いつ迎えに来るの」などと言うことがありましたが、退院して私たち夫婦が引き取る頃には、もう、何も言わなくなりました。

あなたは、本当のことを話そうと思ったことは、これまでに一度もなかったのですか。

迷ったことはありましたが、妻とも相談して、結局は話さないことにしようと決めました。

それは、なぜですか。

被告人の母親は、今も見つからないままなのです。私たちは、萌子さんを信じたかったし、信じようと思ってきましたが、それでも、万に一つも、息子たちの死に母親が関わっていたとしたら、被告人の心は余計に傷つくに違いないと考えたからです。

では被告人は、自分の両親や姉のことは何一つ知らないまま育ったのですか。

その通りです。ただし、私たち夫婦が引き取って育てる間に、近所の人などから、ある程度の噂《うわさ》を耳にすることはあったのだろうと思います。

そのことを、被告人本人から聞いたことはありますか。

具体的にはありませんが、小学二年生か三年生の頃に、一度、ひどく腹を立てて帰ってきて、自分の部屋のものを投げたりしていましたので、どうしたのか聞いたところ、「どうせ僕は捨てられた子どもなんだ」と言っていたことがありました。そういう噂を耳にしたのだろうと思いました。

その時にも、本当のことを話してやろうとは思いませんでしたか。

思いませんでした。

それは、なぜですか。

やはり、母親の行方が分からないままだということが大きな理由です。自分の母親が、もしかすると、たとえ直接ではないにせよ、父親や姉を死に追いやった張本人かも知れない、それだけでなく、被告人のことも死なせるはずだったのだと知ったら、ただ捨てられたと思うより、もっと傷つくと思ったからです。それよりは、何も知らない方が良いと思いました。

その後、その事件に関しては、どうなっているか知っていますか。

実は、当時の刑事さんの話では、無理心中の疑いも捨てきれないということで、結局は、そちらの方向で落ち着いてしまったのです。息子たちの部屋からは何かが盗まれたような様子もありませんでしたし、誰かと争った形跡もなく、血のついた指紋なども見つからなかったということでした。また、部屋の鍵《かぎ》は締まっており、外から何ものかが侵入した形跡も見つからなかったと言われました。ですから、あの当時、警察では、夫婦喧嘩《げんか》か何かの挙げ句に、息子の妻が怒ってアパートを出て行ってしまい、そのことを悲観した息子が、思い余って二人の子どもを手にかけて、自分も生命を断ったのではないかと、そのように言われました。

あなたは、その話を信じましたか。

信じません。私の息子は、そのような性格ではありませんでした。それに息子の妻の萌子さんも、明るく朗らかで、息子を裏切るような人ではなかったと思います。ですが、実際に萌子さんはいなくなってしまって、連絡もないままなので、私たちには、どうすることも出来なかったのです。私は今でも、息子は何ものかによって殺されたのだと思っています。

今、この話を被告人に聞かせることについては、どう思いますか。

今まで黙っていて、申し訳なかったと思います。ただ、良かれと思って黙っていたのだということだけは、信じて欲しいと思います。被告人は、淋《さび》しい思いをしたかも知れないけれども、私たちも、息子や孫娘に死なれたことを隠しながら、精一杯に被告人に愛情を注ぎ、育ててきたことを、何とかこの機会に分かってもらいたいと思います。被告人には、これからは息子や孫娘の分も、精一杯に生きて欲しいと願っています。】

これが、あの長尾広士という男の根っこにあるものか。

嫌な話になりやがった。

「なるほどなあ」

思わず腕組みをして唸《うな》っている間に、音道は腕時計と睨《にら》めっこをしながら、記録の先を読み進めていく。ここは女刑事に任せて、少し考えをまとめようと思っていたら、すぐに「滝沢さん」と呼ばれた。

「本人の供述調書です」

「何だって言ってる？」

「事件そのものについては——素直に供述していますね」

ぱら、ぱら、と紙をめくる音がする。

「弁護人の質問に対しては、どうだ」

「今、見ます」

ぱら、ぱら。

長尾は、この時の弁護人に感謝するべきだ。そうでなければ、野郎は今頃、どんな道を歩んでいたか分かったものではない。

「ありました——お祖父《じい》さんの証言について、ですよね」

「何か、質問してねえか」

公判記録の厚さと、音道が開いている場所からしても、その被告人供述調書は、おそらくそろそろ結審する頃のもののはずだった。

「ありました」

音道の手が止まった。滝沢は身を乗り出して、改めて音道が差し出した記録をのぞき込んだ。

【弁護人
被告人は自分の両親や姉について、先日の祖父の証言で初めて知ったのか。

はい。

それまで自分の生い立ちについては、何も知らなかったのか。

知りませんでした。

何か覚えていることはなかったか。

うんと小さい頃に、何となく、自分の周りでにこにこしていた人たちがいたのは、覚えています。

他に覚えていることはないか。

病院に長く入院したことがあり、小学校の入学式に出られなかったのは覚えています。

理由は何だと思っていたのか。

祖父母から、内臓の病気だったと教えられていました。

自分が他の家庭の子どもと違うことについては、どう思っていたか。

どうして自分には両親がいないのだろうかと思っていました。

それについて、どういう気持ちだったか。

何か面白くなく、つまらなかったです。

被告人は、中学生の頃から何度も万引きや傷害事件などをはたらいてきたが、それについては、どう考えるか。

いつでも面白くなく、むしゃくしゃしていたと思います。どうせ、何をしても自分を心配する親などいないのだし、いつでも、どこにいても、自分などはどうなっても良いのだと思っていました。

実際に、父と姉が不幸な死に方をしていることを知って、どう感じたか。

とても驚いて、悲しく感じました。どうして、そんな大切なことを覚えていなかったのだろうかと思いました。

母親に関しては、どう感じたか。

よく分かりません。自分が何となく覚えている母親は、にこにこしていて優しかったような気がします。どうして一人だけ、いなくなってしまったんだろうかと思います。

祖父母に関しては、どうか。

せっかく育ててもらったのに、迷惑ばかりかけて、申し訳なかったと思います。これから先は、もう二度と迷惑はかけないし、心配もかけないようにします。

きちんと罪を償うつもりがあるか。

あります。罪を償って、根性を入れ替えて、人間としてやり直したいと思います。】

供述調書はその後、検察官からの質問に移り、さらに裁判官からの質問へと続いていた。事件について詳細な点を確認し、そしてまた、長尾の特異ともいえる生い立ちについて言及している。長尾から、反省と後悔の言葉を、くどいほど繰り返して引き出している。

公判記録を音道の方に押し戻し、滝沢は改めてため息をついた。

「こういう話になってくるとはなあ」

記録からだけでは、当時の長尾がどの程度に動揺し、衝撃を受けたかまでは分からない。だが滝沢には、あの、人一倍図体《ずうたい》の大きな男が、鉄格子《てつごうし》の中で一人で膝小僧《ひざこぞう》を抱き、歯を食いしばる姿が、いとも容易《たやす》く思い描くことが出来た。

ぱたん、と音をたてて、音道が公判記録を閉じる。

「大体んとこは、メモしたかい」

「大丈夫です」

「そんじゃあ、行くか。そろそろ追ん出される時間だ」

地検を出るまで、互いに口をきかなかった。憂鬱《ゆううつ》というのとも違っている。だが無論、浮かれる気分などでも、あるはずがなかった。

ドラマなら、嫌というほど見てきている。一つの事件には、必ずいくつもの人間模様が絡《から》んでいるものだし、それらは往々にして滝沢などの想像を遥《はる》かに凌《しの》ぐ壮絶さや根深さ、奇妙な因縁めいたものを孕《はら》んでいたりするものだ。だが、それにしても、ひどい話だ。

「でも、やっぱり」

太陽はビルの向こうに隠れていたが、だからといって涼しくなったとも思えない。相変わらずの蟬《せみ》の声に包まれ、熱気を立ちのぼらせるアスファルトの道を歩きながら、先に口を開いたのは音道の方だった。

「シロなんじゃ、ないでしょうか」

煙草《たばこ》を取り出してくわえながら、滝沢は少し時間を稼ぎ、それから呟《つぶや》いた。

「それは、また別の問題だ」

半分は、自分に言い聞かせる言葉だった。

夕方の地下鉄は、定時で職場を後にしてきたらしい勤め人で混雑し始めていた。この時間から家路につけば、まず風呂《ふろ》に入って汗を流し、それから家族と一緒に、のんびりテレビでも見ながらの晩酌を楽しめるだろう。昔は、自分と似たような年格好で、そんな暮らしを普通に続けているらしい男を見かけると、滝沢は何ともいえず不愉快な気分になったものだ。

彼らはいずれも、生真面目《きまじめ》そうではあるけれど緊張感のない顔をしていた。日々の平和と安全を当然のように享受《きょうじゅ》しているらしい弛緩《しかん》した顔つきが、当時の滝沢には、無性に癇《かん》に障《さわ》って見えた。どうせ自分はそういう生活とは無縁の毎日を送っている。

誰のために。こんな鼻持ちならない顔つきをした連中のために、だ。または、小市民の仮面を被《かぶ》った悪党が、次から次へと現れるせいではないかと、あれこれと考えては、苛立《いらだ》ちを募らせた記憶がある。

最近ではもう、そんなことを感じることもなくなった。改めて口にするまでもなく、要するに人生が違う。判で押したような生活とも、子どもたちの運動会や学芸会を見に行くこととも、さらに、休日の家族旅行や一家揃《そろ》っての外食とも、毎日きちんと用意されている晩飯とも、何もかもと無縁で来たのは、結局は滝沢が自分で望んだことの結果だ。

人混みに押されるうちに、音道と少し離れる格好になった。一つの吊革《つりかわ》に両手でぶら下がる姿勢で、滝沢はぼんやりと考えを巡らしていた。

まあ、味気のない人生だ。それは認めよう。女にだって、縁があるとは言い難い。だが、女房に逃げられた後も、まるっきり無味乾燥なままで来たというわけではない。これでも一時は真剣に再婚を考えたことだってあった。最終的には実らなかったが。

ろくな親でなかったことは自認している。だが、女房よりはましだ。滝沢は、子どもたちを見捨てたつもりはないし、育児を放棄したこともない。自分に出来る限りの範囲内で、精一杯やってきた。お蔭《かげ》で三人の子どもたちも、それなりに育ってくれた。少なからず親の手を煩《わずら》わせることがあったって、常に一時的なものだし、別段、犯罪にまで手を染めるような人間になったわけでもなければ、大病して心配させられたこともない。

人に言えないほどの後ろ暗い過去はない。自分も、また子どもたちも、生まれながらにして重たい十字架を背負わされたような、そんな運命は歩んでいない。このままいけば、そう悪くもないのかも知れん。

それが、まあ、普通なのだ。

それに比べて、あの長尾はどうだろう。今でこそ地味に、淡々と、老人ホームの職員として働いている男が、実は、何という道を歩んできたことか。

今日の会議では、ヤツのことを報告しなければならない。だが、現段階で明言できることといったら、ヤツにアリバイがないことと、特異な生い立ちであることだけだ。それでも、他にめぼしい手がかりがない以上は、お偉方たちは、さらに徹底的に長尾を洗うよう、指示を出すに違いない。ヤツは、それだけ目立つからだ。特別な存在だと思われても仕方がない。生い立ちを知った今となっては。

シロと断定するだけの材料が見つからない限りは、クロの可能性を探り続け、どこまでも追いかけるのが滝沢たちの仕事だ。いくら滝沢の勘が、彼は違うと首を振っていようと、かばい立てするだけの理由は何もない。

もしも、長尾が本当にクロだとしたら。そのためには、まず、動機がなければならない。

動機。

ガイシャと、日頃から折り合いが悪かったからか。暴言を吐かれたからか。言うことを聞かない老人だったからか。単に、目の敵にされたからか——。

まさか。

そんな程度のことで拳《こぶし》を振り上げるような男ではない。どうしようもないところまで落ちかけながら、文字通り血を吐く思いで這《は》い上がってきた男だ。自らが背負った生い立ちを知って、ヤツは苦しみ抜いたに違いない。その結果、長尾という男は世の中の誰よりもまともに生き、残された家族を守り抜いていこうと心に誓ったはずだ。

あの男は生涯、一時の感情に振り回されることも、その結果として、見境なく行動することも、もはやないだろう。幼い頃から抱えてきた孤独に加え、未熟で、かつ無知だった頃に、手当たり次第に感情のはけ口を探して暴れ回った結果として身についてしまった、あの不敵さと度胸、そこに、頑《かたく》なまでの自己を律する姿勢が備わった。

それが、長尾広士という男の、一種独特の雰囲気の正体だという気がする。

そんな男が再び祖父母を嘆かせる行動に出たというのなら、相応の理由がなければならない。

どんな。

復讐《ふくしゅう》か。

それなら、考えられないわけではない。

長尾が復讐を企てるとき。

そして、その相手が、今川篤行だったとすると――。

父親と姉とを殺され、母を失い、ただ一人だけ生き残った子ども。

今も残っているかも知れない傷痕《きずあと》。

孤独と疑問。飢餓感。

真実を知ったときの衝撃。

悔恨。贖罪《しょくざい》意識――最後に残るのは、どんな感情だろうか。両親への思慕か、家族への情愛か、それとも――。

「降りますか」

ふいに耳許《みみもと》で声がした。いつの間にか、音道がすぐ斜め後ろに立っている。窓の外が明るくなったかと思うと、地下鉄は東銀座のホームに滑り込んだところだった。滝沢は小さく頷《うなず》いて、出口を目指す乗客の流れに加わった。ここから都営浅草線に乗り換えて北へ向かえば、毎日歩き回っている界隈《かいわい》へ戻ることになる。こちらの方も、時間帯のせいか混雑していた。滝沢は、やはり音道と口をきくこともなく、一人で考えを巡らしていた。

「冷たいもんでも、飲もうや」

押上駅で降りる頃には、ようやく夕暮れの気配が迫ってきていた。それでも気温は下がらない。殺風景な駅前を抜けて、橋を越えて大きくカーブすると、そのまま錦糸町の駅につながっている四ツ目通りに立ち、滝沢は辺りを見回した。

「あんた、この辺は詳しいか」

「この辺りは、隣の署の管轄《かんかつ》になります」

音道も辺りを見回しながら少し困った顔になっている。小さく頷いて見せると、滝沢はそのまま、埃《ほこり》っぽい道を歩き始めた。

「これから、どういう動きになるでしょう」

適当に見つけた喫茶店の奥の席に落ち着いて注文を済ませる。音道の方が先に口を開いた。滝沢は大きくため息をつき、煙草に火をつけながら、ちらりと女刑事の顔を見た。昼頃までの、ぼんやりした様子は消えていたが、やはりどこか憂鬱そうに見えることには変わりがない。今度は、その理由は滝沢にも分かっていた。

「まあ、俺らの報告次第だろうが、長尾を洗うことには、なるだろうな。徹底的に」

「他の班も投入して、ですか」

「その可能性が、高いわな」

まず、長尾の動機を探し出す必要がある。そのためには、現在の長尾の周辺や私生活、交遊関係などを改めて洗い直す他、過去の事件についても徹底的に調べ上げなければならない。あらためて目撃者探しなどもする必要があるだろう。とてもではないが、滝沢たちだけでは無理な仕事だ。

「だとしたら、私は、過去の事件に当たりたいです。長尾が子どもの頃の」

アイスコーヒーが運ばれてきた。たっぷりめのミルクを流し込み、ストローでかき混ぜながら、滝沢は、やはり上目遣いに音道を見ていた。この暑さでも、女刑事はやはりホットコーヒーを注文した。まさか、ここのアイスコーヒーも馬鹿《ばか》甘いのだろうかと警戒したが、一口、ストローで吸い上げたところ、その心配は無用だった。

「当時、捜査に当たった方にもお目にかかって、どうして無理心中ということで処理したのかを聞きたいですし、母親の行方についても、気になります」

コーヒーカップに目を落としたまま、音道は微《かす》かに肩を上下させている。そして、少しためらう表情を見せた後で、思い切ったようにこちらを見た。

「滝沢さんは、本当に無理心中だったと思われますか」

「分からんね」

「では、長尾の母親は、どこへ行ったんだと思われますか」

「さあなあ」

「無理心中と断定する、決定的な何かがあったんでしょうか」

「なあ。そう矢継ぎ早に質問すんなって」

「もしも、無理心中じゃなかったとしたら、母親も事件に巻き込まれている可能性が高いんじゃないでしょうか」

「可能性は、あるだろう」

「その母親は——」

ふう、ともう一度ため息をつき、音道は静かにコーヒーを飲んだ。エアコンの風が頭上で回っているせいか、吐き出した煙草の煙が自分の顔に戻ってきた。滝沢は目を細め、顔をしかめながら、音道を見ていた。

「妊娠中だったということは、ないんでしょうか」

何を言っているんだと言おうとして、開きかけた口が、そのまま中途半端《はんぱ》に開けっ放しになった。脳味噌《のうみそ》が、さっきまでとは異なる方向に、カタカタと回転を始めたような気がする。ここへ来るまでの電車の中で、あれこれと思い浮かべていた言葉の断片が、どこかに当てはまろうとしている。復讐。家族——だが、母親の行方については、考えていなかった。

「なあ、それって——」

「まったくの思いつきです。でも、時期としては近いように思うんです」

煙草の吸い殻を灰皿に押しつけて、滝沢は音道の顔を正面から見つめた。音道は、瞳《ひとみ》の奥に興奮を隠し、それでいて、何かの決意を固めているようにも取れる表情で、滝沢を見つめ返してくる。

反射的に、二の腕の辺りの肌が粟立《あわだ》つのを感じた。そうか、と思った。

音道は、あの白骨死体のことを言っているのだ。今川篤行が所有していた貸家の地下から出てきた白骨死体のことを。なるほど、女刑事はこうして日々、今川殺害の犯人捜しに歩きながらも、あの白骨死体のことを忘れたことはなかったということだ。

「あっちのホトケさんは、妊娠何カ月だったたって？」

「——一緒に見つかった赤ちゃんの骨からでは、嬰児《えいじ》か胎児かの判断ができませんでした。殺害された後に体外に出てしまった可能性も考えられるということです。つまり、妊娠中だったとしたら、臨月に近かったと思います」

「さっき見た公判記録には、そういうことは出てなかったな」

「母親の様子については、まったく触れられていませんでした」

「――確認する必要が、あるな」

「長尾の祖父母にですか」

「他にいねえだろう。産院を探し当てるよりは、よっぽど早えんだし」

音道の口元が微かに引き締まる。気持ちは滝沢だって同じだ。だが、では他の捜査員に任せるかと言えば、絶対に首を横に振るに違いなかった。だから音道は面白い。

「その辺りのことは、今日の会議じゃあ、まだ言わん方が、いい。何しろ、もう二十四年前の話だ。とっくに時効を過ぎてる。ただ、今回のヤマに関係があると思うから調べるんだ。こうなったら、俺らが動きやすくなるように、考えなけりゃあな」

「じゃあ――」

「とりあえず野郎のアリバイがないことと、マエについてを、簡単にな。あとは、まあ、生い立ちについては、ごくあっさり」

音道は小さく頷き、またため息をつく。ふと、今日の午前中の不調は何だったのだと聞きたい気がした。それとも、胃の調子は治ったのかとでも尋ねてみようか。コーヒーなど飲んで大丈夫なのか、と。だが、いずれにせよこの女が素直に答えるとも思えない。また、木で鼻をくったような言い方をされるのが落ちに違いない。

「もしも」

コーヒーカップを戻しながら、音道が口を開く。

「私が考えた通りの結果だとしたら、どうなるんでしょう」

「どうなるとは？」

「長尾の容疑は、濃くなるでしょうか」

「──野郎のアリバイが、はっきりしない限りは、そうなるだろう」

「滝沢さんは、どう思われますか」

「どう、とは？」

「彼が、自力で、そこまでたどり着いていたって、思われますか。自分と今川のお爺ちゃんとの間に、そんな因縁があったなんて」

それは分からない。

当時、捜査に関わった連中が、どの程度本腰を入れたかは定かではないが、それにしても二人もの死者が出ているとなれば、素人《しろうと》同然の調べしかしなかったとは、考えにくかった。事実、第三者の存在を疑うべき確固たる証拠は見つからなかったのだろうし、長尾の母親の行方にしても、杳《よう》として知れなかったのに違いないのだ。年月も経過している状態で、しかも素人の長尾が、母親と今川篤行を結びつける何かを摑《つか》む可能性といったら、果たしてどの程度あるものだろうか。

いや、ある。

今川本人が喋《しゃべ》っていれば。

認知症を患《わずら》っていた老人は、時として正気に戻り、得々と過去を語る日もあったと、音道も言っていた。それならば、ある時何かの拍子に、長尾の母親について、思い出すことがあったとしても不思議ではないはずだ。たとえ音道たちが問いただしたときには、何一つとして思い出さなかったにせよ。事件が既に時効を迎えていると知れば、残る手段は、自分の手で犯人を裁くことだ。そう考えても不自然ではない。長尾をクロの線に持っていこうとすれば、こういう推測が成り立つ。

「でも、だとしたら」

考えを巡らしている間に、音道がまた口を開いた。

「長尾の性格なら、何も人気《ひとけ》のない公園なんかで、ことに及んだりするでしょうか」

まるで、滝沢の考えを読んだような言い方だった。一人前になってきやがった、と、つい苦笑しそうになりながら、滝沢は「分からんが」と息を吸い込んだ。

「野郎のことだ。てめえのことについては、どうなってもいいと、思ってるだろう。だが、まだ祖父《じい》ちゃんと祖母《ばあ》ちゃんが生きてるわけだろう？　その二人を心配させまいと思った可能性は、考えられるわな」

音道はゆっくり頷く。意外な意見を聞かされたというより、滝沢が自分と同じ考えなのを確認するような表情だった。

「とりあえず、よかったじゃねえか」

新しい煙草《たばこ》をくわえながら、滝沢はまだ何か考えているらしい音道を見た。

「これで、あんたがずっと気にかけ続けてた白骨と、こっちのヤマがつながる可能性が出てきたんだから」

音道は小さく頷く。だが、だからといって、嬉《うれ》しそうな顔をしているわけでもなかった。

その日の捜査会議では、まず、今川篤行の孫に対する容疑が晴れたことが報告された。

目撃証言にあった通り、今川良少年は事件当夜、確かに外出していたことを認めたという。自分なりに祖父を捜したいと考えたためだが、すぐに諦《あきら》めてしまい、早々に帰宅して、その後は自室のパソコンでインターネットに接続し、明け方まで遊んでいた。アクセスしていた時刻は、パソコンの履歴に残されていたものを、捜査員の一人が確認した。今川篤行が殺害されたと思われる時刻よりも二時間ほど前から、今川良は成人向けを含むいくつかのホームページなどを覗《のぞ》き、最終的にはチャット形式で会話の楽しめるサイトで遊んでいたらしい。

「以上のことから、今川良に対する容疑は、確実に晴れたことになった。ところが、それから雑談のような形で、真犯人はどんな人物だと思うか、などという話題に移ったところ、今川良の顔つきが変わり、実をいえば、あの晩は、もしかすると自分が本当に祖父を殺害していたかも知れないなどと、泣きながら話し始めた」

マイクを握っているのは白川管理官だった。刑事を騙《かた》る人物が現れたせいで、自分の息子に嫌疑がかかっていることを知って、すっかり態度を硬化させている今川季子と、当事者である少年に、謝罪を兼ねてことの成り行きを説明しに行くという形で、捜査本部では、今日はいつもの捜査員に生活安全課からの応援を加え、そこに管理職二名までが加わって、総勢五名という人数で今川家を訪ねていったという。

「理由は、以前から母親を心配ばかりさせて、また、迷惑もかけ続けている祖父に対して、煩《わずら》わしく邪魔な存在だと思っていた、ということである」

キャリア組の若い管理官は、緊張のためか頬をわずかに染め、長テーブルに両肘《りょうひじ》をついたまま、ひたすら手元のメモ書きのようなものを見ながら、ぼそぼそと抑揚のない声で言葉を続けた。

「事件のあった日は、前日の夕方、祖父がいないことが分かってからというもの、母親の愚痴や金切り声がずっと家中に響いており、今川良は、いつもの通り二階の自室に閉じこもっていたものの、すべての物音は筒抜けで、次第にそれを聞いているのに耐えられなくなったのだそうだ」

むしゃくしゃした気分も手伝って、少年は母親に何も告げないまま家を出て、祖父を捜そうとした。その時の気分は、心配だからというよりも、もしも祖父を見つけたら、「どうせ覚えていないに決まっているのだから、この野郎という気分で、一発ぐらい殴ってやろうと思ったし、その結果、打ち所が悪くて怪我《けが》をしたり、また死んでしまうようなことがあっても、それはそれで仕方がないと思っていた」ということだったらしい。

「だが、そうこうするうちに、あるコンビニの前を通りかかったときに、以前、中学に入学したての頃に、自分をいじめた連中がたむろしているのを見つけた。今川良は、また何か言われるのではないか、からかわれたり、暴力を振るわれるのではないかとの恐怖を覚えて、慌《あわ》てて自宅に戻ったということだそうだ」

本当に祖父が殺害されたと知ったときは、だから、自分があんなことを考えたせいに違いないと、今川良は感じたらしい。以前から、死ねば良い、死んでしまえと念じ続けていたことが、祖父の死に直結しているように思えた。または、自分が記憶していないだけで、本当に手を下してしまったのではないかという気分にさえなって、今日までの日々は、怖くてたまらなかったと少年は語ったという。

「なお、ここから先は余談になるが」

管理官の言葉を、岩間捜査一課長が引き継いだ。

「我々が少年からその話を聞いていたとき、実は、一度は気持ちを落ち着かせていた母親・今川季子が、再び興奮して『本当のことを言いなさい』『これが嘘《うそ》だったら、お母さんはあんたと一緒に死ぬから』などと、ひどく感情を高ぶらせて息子に詰め寄る場面があった。すると、それまでは我々の質問に対して、素直に受け答えをしていた少年は、にわかに声を荒らげて『だから嫌なんだ』と怒鳴り声を上げた。そして、『おまえがそんなだから、祖父ちゃんの呆《ぼ》けが進んだんじゃないか』などと激しく罵《のの し》ることになったわけだがね」

少年は、それから激しく泣きじゃくりながら、岩間課長を始めとする警察関係者に向かって、自分をどこかの施設に入れてもらえないかと言い出したのだという。

「要するに少年は、家を出たがっていた。そうしてもらえるなら、祖父を殺したことにしてもいいとまで言い出す始末だった」

本部内に奇妙な空気が広がっていた。ここに集っている刑事たちの多くは、人の子の親だ。捜査員という立場から離れてしまえば、自分たちがいかに無力で、為《な》す術《すべ》を持たない父親であるかを、一度ならず、身をもって思い知らされている。それは、何も滝沢ばかりではないはずだった。もしも我が子が、ある日突然、そんなことを言い出すことになったらという不安が、誰の頭にも過《よぎ》っているに違いない。自分のもとから離れたいと。そのためならば、殺人者と呼ばれても構わないと。どうすりゃいいんだ。

「どうしてそんなことを言うのかという我々の質問に対して、今川良は『もうこれ以上、がっかりさせられたくないから』という答え方をした。母親にも、学校にも、友だちにも、さらに死んだ祖父や、別れた父親にも、幼い頃から、さんざん、がっかりさせられてきたから、と。そして、これ以上、がっかりさせられないためには、自分の方が周りをがっかりさせるしかないと思ってきた、とも言っていた」

ふざけるな、と思う。何を甘ったれたことを言っているのだ。だが、もしも我が子が、そんなことを声高に叫んだら、どう言い返せば良いのだろうか。これだけ必死に生きて、子どもを育ててきて、その年端《としは》もいかぬガキから「がっかりさせるな」などと言われては——。

「まあ、余談だ、あくまで。我々としては、あとは生安《セイアン》に引き継いで、母子両方からの相談を聞くという形を取るくらいしか、他に、どうしようもないわけだから。従って、こちらの件に関しては、これで完全に終わりだ。また、幡野なる人物についても、人相・特徴などについての聴取をしてきている。その資料は明日、プリントを配布する」

さて、という言葉に続いて、今度は國島班が呼ばれた。物事には順番がある。既に捜査線上に浮かんでいるホームレスについての報告が先というわけだ。

「我々は、昨日までに引き続きまして、宝来豊の周辺を洗いました」

報告に立ったのは國島ではなく、若い相方の方だった。胸を反らし、いささか気負いすぎているような様子で、彼は手帳を片手に報告を始めた。

「当初、宝来は我々の聴取に対しまして、事件のあった夜は食料を探すために、浅草方面まで出向いていたと述べておりましたので、今日も、そのウラを取ろうとしましたが、こちらに関しましては現在のところ、事件当夜の宝来の行動を裏付ける人物などは発見されておりません。それとはべつに、今日は浅草寄りの隅田川沿いで暮らすホームレスから、実は宝来は以前よりガイシャと連れだって、浅草のウインズ——以前は場外馬券場と言っていたところでありますが——に、揃《そろ》って姿を見せることが複数回あったという証言を得ました」

正面ひな壇に並ぶ、数名の上司の顔が、わずかに動いた。

「その男が見る限り、宝来はガイシャを『じいちゃん』と呼び、いくらかの金銭をせびっては馬券を買っている様子だったということです」

要するに、そのホームレスは以前から金銭目的でガイシャに接近しており、相手が認知症を患っているのを良いことに、ある程度高をくって接していたものが、ふとしたきっかけからトラブルに発展した、というあたりが、國島たちが思い描いている線なのかも知れない。若い刑事の横で、満足そうな顔をしている國島の顔に、そう書いてある。滝沢は、何となく愉快になってきた。

こちらが掘り当てようとしているラインと、どちらが有力で、かつホンボシにつながるものか。これは、なかなか面白い競争になるかも知れん。いや、むしろ、これから本格的に鉱脈を探そうとしている滝沢たちにとっては、格好の当て馬になるかも知れない、といったところだろうか。

滝沢は、ちらりと隣を見た。今日までの行動が逐一書き込まれているはずの刑事手帳に目を落としたまま、音道の横顔は動かない。おそらく、これから報告する内容について、考えをまとめているのに違いない。女刑事は、今のところ長尾をシロと信じたいらしい。野郎の生い立ちと過去を知った上でも、なおかつ。滝沢も、そう思いたい気持ちは、持っていた。だが、分からない。

鍵《かぎ》を握るのは、白骨死体だ。長尾と今川との間の、ほとんど因縁とも思える関係が、実際にあるのかないのか。その結果次第では、今はグレーゾーンにいる長尾は、格段にクロに近くなるだろう。

「――要するに、宝来豊の出回り先と金銭関係、さらに事件当日の目撃情報を徹底的に洗い出すことだな。ごくろうさん」

國島班の報告を締めくくるように、岩間課長の声が響いた。その後も、数組の班が報告に立つ。ガイシャの生前の交遊関係について。昔、囲っていた愛人について。十年以上も昔の、かつての仕事関係者との金銭トラブルについて。老人ホームに入る前に、地域のコミュニティセンターに出入りしていた頃の人間関係について。死んだ女房との関係について。女の好みのタイプについて。今川季子以外の子どもたちについて。また、季子の別れた亭主について。他の親戚《しんせき》縁者について——容疑者が浮上せず、捜査に手間と日数がかかるということは、結局その分だけ、被害者本人も、その周辺までもが、完璧《かんぺき》に丸裸にされていくということだ。

「ご苦労さん。次は——滝沢班か」

音道の気配がすっと動きかけたのを寸前で腕を押さえて止め、滝沢の方が「えい」と聞こえるような声を、喉《のど》の奥から絞り出した。音道が一瞬、驚いたような表情をこちらに向ける。今日のところは俺に喋らせておけと目顔で伝え、滝沢は椅子《いす》を鳴らして立ち上がった。

「ええ——我々は本日まで、ガイシャが入居しておりました老人ホーム『はなみずき』の従業員および関係者からの聴取を続けていたわけでありますが——」

隣から、すっと手帳が差し出されてくる。ページの上に「はなみずき」という文字が四角く囲まれていた。それを、わずかに顎《あご》を引いて眺めながら、滝沢は、メモに記されている老人ホームの介護関係者、事務関係者、出入り業者などの人数を読み上げた。やはり、音道の文字はなかなか読みやすい。

「これらの関係者全員へ当たりまして、ガイシャの性格、生活、人間関係、その他などにつきましても、おおよそのところを把握し、また、関係者のアリバイその他も確認をいたしました。ええ——その中で、日頃からガイシャとの間に多少の摩擦と申しますか、まあ、平たくいえば、ガイシャから疎《うと》んじられており、時として癇癪《かんしゃく》のはけ口などにもなっておった人物が一名おり、加えて事件当日のアリバイが確認されないということでしたので、その人物について、報告いたします」

それから滝沢は、長尾広士の年齢、体格、ホーム内での評判などに加えて、彼が祖父母と共に暮らしていることまでを報告した。

「非常に不敵といいますか、独特の雰囲気と風貌《ふうぼう》を持った男でして、事件当日のアリバイがないことについても、こちらが質問を繰り返しても、慌てた様子も見せなければ、真剣に考えるそぶりもなく、開き直りとも取れる態度を取る男であります。その落ち着きぶりが非常に奇異に映りましたので、123《ひゃくにじゅうさん》にて照会しましたところ、ええ——」

音道が手帳を繰って、また別のページを差し出してくる。滝沢は再びそれを覗き込みながら、長尾の前歴を読み上げた。こうして俯《うつむ》いたままでも、本部内の空気が、また微妙に変化し始めたのを感じる。

「結局、十九歳の時に強盗致傷と銃刀法違反で逮捕されるまでは、中学・高校にもろくすっぽ行かず、ひっきりなしに補導・逮捕を繰り返していた人物であります」

改めて報告していると、今日一日がずい分長かったような気がしてくる。と、いうよりも、長尾の人生に関する情報が、あまりにも盛りだくさんで、こうして読み上げているだけで、げっぷでも出そうなのだ。

「——その後、地検に出向きまして、最後に起こした事件の公判記録の閲覧をしてまいりましたが、調書等から、長尾広士は幼少時代から両親がおらず、祖父母に育てられたことが分かりました。さらに、生い立ちについても複雑なものがあるようですが——ええ、これにつきましては、現段階ではまだ報告するには至りません。以上です」

「と、いうことは、つまり、どういうことだい」

腰を下ろそうとすると、岩間課長が、どこか腑《ふ》に落ちないといった表情でこちらを見ている。滝沢は「つまり、ですね」と姿勢を戻した。

「今現在は、老人ホームの職員として地道に働いていることに、つい首を傾《かし》げたくなるほど、長尾という男は問題を孕《はら》んでいそうに見える、ということです。しかも現段階では、事件当日のアリバイもなく、体格はプロレスラー並みときています。彼については、もう少し洗う必要があると判断しております」

数秒間、課長とまともに視線がぶつかりあった。それだけか、と、その目が言っている気がした。だが滝沢は、改めて「以上です」とだけ言うと、そそくさと腰を下ろした。せめて、あと一日でも良いから時間を稼ぎたいのだ。長尾の祖父母から話を聞くことさえ出来れば、そして、もしも音道の推理が的を射ていたとしたら、今、この本部にいる連中は全員、ひっくり返るほど驚くだろう。そして、事件は大きく動き出す可能性がある。あとは一気呵成《かせい》に動けば良いのだ。全員で。何も、手柄を独り占めするつもりなど、滝沢にはなかった。

「なるほど。では引き続き、その長尾という人物について、滝沢班は調べを進めると、そういうことでいいな」

課長の言葉に、滝沢は座ったまま手を振って見せた。続いて次の班が呼ばれ、新しい報告が始まる。滝沢は、ゆったりと背筋を伸ばし、ちらりと隣を見た。相変わらず硬い表情のままで、音道はやはり、手帳に目を落としていた。

ごくろうさんくらい、言えや。

ちょっと面白くない気分になった。この堅物の女刑事に任せておいたら、馬鹿《ばか》正直に、または不器用に、言わなくても良いことまで言いそうだと思ったからこそ、滝沢が立ってやったというのに。にっこりしろとまでは言わないが、見向きもしないとは。やはり、実に可愛《かわい》くない女だった。

（下巻に続く）

風《かぜ》の墓碑銘《エピタフ》(上)

新潮文庫　の-8-7

平成二十一年二月一日発行
平成二十六年六月十五日十一刷

著者　乃《の》南《なみ》アサ
発行者　佐藤隆信
発行所　株式会社新潮社

郵便番号　一六二—八七一一
東京都新宿区矢来町七一
電話　編集部(〇三)三二六六—五四四〇
　　　読者係(〇三)三二六六—五一一一
http://www.shinchosha.co.jp

価格はカバーに表示してあります。

乱丁・落丁本は、ご面倒ですが小社読者係宛ご送付ください。送料小社負担にてお取替えいたします。

印刷・大日本印刷株式会社　製本・憲専堂製本株式会社

ISBN978-4-10-142547-4 C0193